CIP-Brasil. Catalogação-na-fonte.
Sindicato Nacional dos Editores de Livros, RJ.

González, Mário
G653g   Golf no Brasil; golf in Brasil / Mário González —
— Rio de Janeiro: B. Borges Edições, 1987.

Texto bilingue português/inglês.
"Coletânea fotográfica dos melhores campos
de golf do Brasil..."
ISBN 85-85100-03-6

1. Golf, Campos de — Brasil. I. Título. II.
Título: Golf in Brasil.

86-1117   CDD — 796.352
                                         CDU — 796.352

GOLF no BRASIL
Golf in Brasil

texto / *text by* Mário González
edição / *edition* Beatriz Borges

SUMÁRIO/CONTENTS

Si tuviera que mencionar el nombre del jugador que más me impresionó por su extraordinaria coordinación, no obstante sus escaso 60 kilos de peso, y que lograba gracias a esa coordinación propias de pocos jugadores en el mundo nombraría a mi gran amigo y rival de toda uma época: el brasileño Mário González.

Ver jugar a Mário González en su buena época era un placer. Diría mejor que era una extraña mezcla de "golf y ballet". Su swing amplio y armonioso, pausado y sin demonstrar tensión alguma, se combinaba rítmico y preciso, con un juego corto, lo que conseguía un "toque" muy delicado y de gran eficacia, comparable al del destacado campeón chino y excelente amigo, Mister Lú.

Alto, delgado, muy delgado, casi frágil, González, de habérselo propuesto, pudo haber sido uno de los grandes jugadores del mundo. Su carácter y el amor a su Rio de Janeiro, lo retuvieron siempre en el Brasil, con lo que la competencia mundial perdió el espectáculo de su arte. Porque Mário González había logrado en su brilhante trayectoria golfística algo excepcional, como es dar la sensación de que todo es fácil de hacer en golf.

El aficionado, sobre todo, que suele complicar-se tanto en su golf, miraba asombrado a ese jugador que con toda facilidad y la más simple naturalidad, impactaba a la pelota en cualquier lugar de la cancha.

Por otra parte, sobresalía en González el pase de caderas, la soltura del lado derecho del impacto, y la forma como dejaba inclinada la cabeza en el momento de pegar, sin esfuerzo aparente. Además, la posición de sus brazos y sus débiles muñecas impresionaban latigueando con enorme velocidad la cabeza del palo. Era todo un ejemplo de simplicidad, que estimulaba imitarlo.

No quisiera que la gran amistad que tengo con Mário me haga pecar de exagerado, pero dirá que sus grandes condicionés de hombre y de jugador hacían siempre de él un adversario de cuidado. Y creo sinceramente que nos admirábamos mutuamente.

Roberto de Vicenzo

Vista do *green* 6 tendo ao fundo o buraco 4; Gávea, Rio
View of green 6, *with hole 4 in the background Gávea RJ*   7

A Origem do Golf

A palavra golf provém do inglês *golf* que por sua vez, vem do alemão *kolbe,* significando taco. Considerado um esporte de elite pela maioria das pessoas, tem sua origem bastante especulada, sendo que a mais provável é a criação pelos escoceses que já o praticavam por volta de 1400. Em 1457, o Parlamento Escocês, por ordem do Rei Jaime II (da Escócia), proibia a prática do golf por considerá-lo um divertimento que afetava os interesses do país.

Alguns historiadores tentam atribuir aos ingleses a criação deste esporte, afirmando que um povo inculto como o escocês na época, não poderia ter criado um jogo tão engenhoso. Outras origens são conhecidas; um antigo jogo romano chamado *paganica* — o jogo dos camponeses — era praticado nos séculos XVII, XVIII e início do XIX, com uma bola de pele ou couro cheia de penas e com uma vara curva, lembrando bastante o golf. Entretanto isso não prova nada, uma vez que a maioria dos esportes dessa época utilizavam tacos curvos.

Existem historiadores que acreditam ter o golfe saído do *jeu de mail,* antigo jogo francês ao qual se assemelha ao golf principalmente nas regras, mas que é praticado em espaços fechados e às vezes em quadras. Outras possíveis origens do golf são o flamengo *chole* e o holandês *kolven* mas nenhum dos dois é muito provável, uma vez que o *chole,* embora jogado em campo aberto, utiliza uma bola para os dois times, o que não é permitido no golf. Segundo documentos antigos, todo golfista que jogar com a bola do adversário receberá penalização.

O golf retratado na arte

Em certas pinturas de grandes mestres, encontram-se semelhanças do *kolven,* ou mais propriamente do *het kolven,* com o estilo do golf. Num museu da Holanda existe uma tela de Rembrandt, datada de 1654, que é reconhecida entre os colecionadores como "O Golfista", embora o título original ainda seja matéria de discussão.

O *kolven* era praticado num *kolf-bann,* uma quadra com paredes, quase sempre pavimentada e que, em geral, pertencia a uma hospedaria, atraindo muitos hóspedes. O taco utilizado era de madeira, com a face chata e coberta de metal, denominado *kolf*. A bola, chamada *kolven* era do tamanho de um *grape-fruit* e pesava mais de um quilo. Porém a diferença fundamental entre o golf e o *het-kolven* está no tamanho da quadra; no segundo ela nunca é maior que 50 metros, enquanto que um campo de golf chega a ter 150 acres. De qualquer forma, na Idade Média as terras aráveis eram preciosíssimas para a Holanda, por isso dificilmente seria desperdiçada uma área tão grande para a construção de um campo para golfistas.

Isso tudo vem reforçar a tese de que foram os escoceses, os primeiros a reunir num esporte, todas as características do golf atual. Na antiga Escócia, os campos de golf se formavam naturalmente, a sua grama era fertilizada pelos pássaros e animais da região e aparada por coelhos, lebres e carneiros. No campo, à beira-mar, eram encontrados bancos de areia formados pelas marés e onde os animais aprofundavam abrigos para que pudessem se proteger das chuvas e das tempestades. Com certeza, foi num desses campos formados pela própria natureza, que se jogou o golf pela primeira vez.

Em campo, o capitão de golf

No século XVIII, com os campos de golf formados naturalmente, não havia limitação dos mesmos. As regras eram feitas e desfeitas pela Honourable Company of Edinburgh/Golfers (HCEG), não havendo *greens* definidos, nem *fairways* e nem *tees*. Todo campo era considerado green, dando origem aos termos *green keeper* e *green committee*. Uma volta era completada com uma ou mais rodadas no campo, não importando o número de buracos.

Levando-se em conta que não esistiam regras determinando a maneira correta de se jogar golf, no dia 17 de março de 1744, o Conselho da cidade de Edimburgo se reuniu e decidiu doar um taco de prata para ser disputado anualmente nos Linke of Leith. O vencedor seria chamado de *Captain of Golf* e daria a palavra final em todas as discussões referentes ao jogo.

in Caddie — Revista Brasileira de Golf, Almanaque dos Esportes — Sergio Noronha, Esportes Diversos — I.A. Correia

A Técnica do Golf

Todas as pessoas, em todos os aspectos da vida, têm um modelo, algo que marca de tal modo sua presença e causa uma impressão tão forte que passa a ser o objetivo único, o exemplo perfeito.

No esporte, em geral, e no golf, em particular, nada é mais verdadeiro. Os jogadores têm sempre um modelo, algum outro golfista melhor do que eles próprios, do qual tenta copiar características.

Acontece que o golf é um esporte singular, diferente, praticado individualmente, e onde não existe outro objetivo senão o de embocar com o menor número possivel de tacadas. Nele é inteiramente válida a pergunta: quantas tacadas? Como foram dadas realmente não interessa.

O *swing,* à exceção de algumas regras fundamentais (como no *green,* quando os *putts* têm de ser dados com os pés em linha diferente da linha do buraco) é inteiramente livre, isto é, não há estilo obrigatório nem ninguém é julgado pela beleza de seu estilo. Ganha quem conseguir dar menos tacadas.

É claro que um jogador com um estilo natural (e não bonito) vai jogar bem durante mais tempo que outro cujo estilo seja forçado, mas todos, com um pouco de treino, podem tornar naturais os movimentos aos quais não estejam habituados.

Sendo o golf um esporte altamente individual e como os jogadores apresentam condições físicas (e também psíquicas) diferentes uns dos outros, é de se esperar que seus *swings* também sejam diferentes, Ninguém precisa imitar os *swings* alheios para jogar bem. O que é necessário, fundamental, é que o jogador tenha os princípios corretos. Se isto acontecer, o taco vai pegar bem na bola, não interessa o caminho que fez para chegar até lá no local do impacto. O importante é que ele chegou com a velocidade e a inclinação certas.

Um exemplo: Dois jogadores de alturas diferentes não podem, obviamente, ter *swings* idênticos. É claro que o mais baixo terá tendência acentuada para fazer um plano de *swing* de angulo mais baixo do que o jogador mais alto.

A não ser que um dos dois tenha algum problema físico, ou alguma anormalidade muscular, ambos vão executar tacadas corretas, fazendo o taco viajar de formas diferentes. O que interessa, porém, é o resultado, e que pode ser idêntico, apenas com uma tendência maior para o jogador mais alto fazer a bola subir mais, até mesmo o problema de distância poderá ser superado pelo mais baixo, pois se o arco do outro é maior com um *swing* menor, ele, (o mais baixo) tem mais base para fazer um *swing* um pouco mais longo.

Assim os dois poderiam executar a mesma tacada — correta — fazendo *swings* diferentes. O único cuidado a ser tomado é com os princípios básicos, que já foram definidos várias vezes, alguns incluindo mais ou menos aspectos, mas que podem ser resumidos em cinco pontos principais:

1) - O *grip*
2) - O *stance*
3) - O *backswing*
4) - O *dowswing* e o impacto
5) - O *follow-through*

O *grip* e o *stance,* por serem estáticos, têm algumas regras básicas, que devem ser seguidas por todos. No *grip* o objetivo é conseguir segurar o taco com firmeza, para que ele não mude de posição entre as mãos durante o *swing*.

A mão esquerda não deve ser virada demasiadamente para a direita, e a mão direita deve segurar o taco com os dedos, e não com a palma. Com isto, e sem exercer força demasiada, o golfista consegue que as mãos trabalhem juntas, e não uma contra a outra, durante o *swing*.

O *stance* tem por objetivo formar uma base sólida sobre o qual se desenvolve o *swing*. O peso dividido igualmente entre os dois pés, a cabeça confortavelmente colocada, de modo a não obstruir o caminho dos ombros, (o que acontecerá se ela estiver demasiadamente baixa) as pernas levemente dobradas para um maior equilíbrio e o *stance* está pronto.

Quanto à colocação da bola, ela varia de jogador para jogador — dependendo de onde o arco do *swing* atinge seu ponto mais baixo e de onde a cabeça do taco tem maior velocidade — mas de modo geral, para as tacadas mais longas, e mais altas, a bola deve ficar mais à frente, isto é, mais na direção do pé esquerdo.

Com um *grip e stance* corretos — isto é, básicamente corretos, com os fundamentos certos para o seu corpo — o jogador está habilitado a fazer um *swing* igualmente certo, no sentido de que fará uma tacada sólida e precisa, sem necessidade de copiar o *swing* de ninguém apenas os fundamentos.

Assim, o *backswing* não precisa ser por dentro nem por fora, desde que este por dentro ou por fora não sejam exagerados. O objetivo é levar o taco mais longe que se puder da bola, sem se perder o equilíbrio nem a firmeza, de modo a conseguir desenvolver velocidade máxima até a bola.

No *top* do *backswing,* qualquer que tenha sido o caminho do taco — e é claro que se o puxarmos muito por fora, muito por dentro, ou abruptamente, vai ser difícil um movimento natural, que é o nosso objetivo — o jogador deve estar equilibrado. Isto é fundamental. A maioria dos jogadores tende a fazer um *swing* muito grande, quando então não conseguem mais manter o equilíbrio ou, com medo disto, executam um muito pequeno. Deste modo perdem toda a possibilidade de uma tacada forte.

Por isso cada um tem um limite até onde pode ir com o *backswing,* que normalmente é até onde consiga manter o equilíbrio, ou um pouco menos (como um coeficiente de segurança em obra de engenharia). A cabeça não deve mover-se muito, para que o eixo em torno do qual é feito o *swing* seja mantido e, assim, não haja um movimento lateral para trás, ("sway" o que causará a perda do efeito-mola dos músculos das costas e das pernas) impedindo o giro dos ombros.

Os ombros devem girar cerca de 90 graus, contra aproximadamente 60 graus da cintura, para que haja tensão nos músculos das costas, o que aumentará a força (isto é, a velocidade) do taco na descida. Boa parte do peso, igualmente dividido no *stance,* deverá vir para a perna direita. Com isto se tem mais peso para jogar em cima da bola.

Quanto ao *downswing* e o impacto é fácil: o *backswing* sendo correto, o jogador tem todas as armas para descer o taco de modo adequado, imprimindo o máximo de velocidade sem perder o controle da cabeça do taco.

Inicialmente as cadeiras, milésimos de segundo depois os braços, descem em direção à bola. Novamente o trajeto do taco não é tão importante assim. Apenas deve-se tomar dois cuidados; não tentar bater na bola antes demais (quebrar os pulsos muito cedo) ou depois (o contrário), nem mover demasiadamente a cabeça, o que tira o *swing* do eixo e torna impossível o taco pegar na bola com precisão.

Todos os erros que podem ser cometidos causam apenas um efeito: o taco não pega na bola com a sua "cara" alinhada ou, se pega, não o faz com velocidade suficiente. Mas desde que estas duas coisas estejam corretas, nada mais interessa pois a tacada foi boa e a bola certamente correu até onde se desejava.

Depois de bater na bola, teoricamente não interessa mais nada. Executou-se o que era necessário fazer. Mas, na prática, se pensarmos assim, não conseguiremos realizar uma tacada perfeita.

O objetivo é verificar, depois da tacada, que o equilíbrio foi mantido e, principalmente que o peso foi transferido quase que totalmente para a perna e o pé esquerdo. O jogador precisa ser capaz de manter o equilíbrio levantando o pé direito do chão. As mãos devem permanecer altas, no fim, (embora isto não seja uma necessidade, apenas consequência) e o *grip* - isto sim, é necessário - deve continuar igual ao do início da tacada, sem a menor alteração.

Siga estes princípios básicos, adaptando-os ao seu físico e ao seu corpo, sem preocupação de imitar qualquer estilo, apenas fazendo com que tudo decorra naturalmente, sem erros de base, e mais da metade do caminho terá sido percorrido para sua boa formação de golfista.

Importante é o fator naturalidade, e às vezes, a naturalidade não é tão natural assim. Os princípios básicos têm de ser obedecidos, nem que para isto seja necessário treinar algumas horas com um professor de modo a se perder antigos hábitos - que pareciam naturais - incorporando ao seu *swing* os fundamentos que o tornarão capaz de executar uma tacada sólida e precisa.

Mário González, 1962

Sede colonial do Gávea, ao fundo a Pedra da Gávea.
Colonial clubhouse of Gávea Golf Club, with Pedra da Gávea as backdrop.

Buracos da praia vendo-se o mar de São Conrado.
Holes on the seaside, seeing São Conrado Beach.

Gávea Golf And Country Club

O Gávea Golf and Country Club está localizado entre a Pedra da Gávea, o ponto mais alto da cidade do Rio de Janeiro com quase 900 metros de altura e a Floresta da Tijuca, defronte da praia de São Conrado.

Com excepcional localização, o campo Gávea Golf and Country Club é conhecido como um dos mais bonitos do Brasil. Através dos seus *fairways* o golfista ora respira o ar puro da montanha, ora a agradável brisa que vem do mar, participando de um dos cenários mais lindos do mundo.

Embora curto, pouco menos de 6.000 jardas, par 68, o campo não é tão fácil como parece, exigindo do golfista a necessária precisão em todas as tacadas. Até hoje o melhor resultado conseguido foi de 265 tacadas em 72 buracos, isto é, 7 abaixo do par, pelo profissional norte-americano Hale Irwin, durante o Campeonato Aberto do Brasil, realizado em 1982.

Alguns dos melhores jogadores do mundo como Bobby Jones, F.R. Stranahan, Martin Pose, Billy Casper, Gene Littler, George Archer, Roberto de Vicenzo, Peter Thompson, Manuel Piñero, San Snead, Gary Player, Bernard Langer, Peter Allis, Bob Toski, Bernard Hunt, Dave Thomas, Ramon Sota, Arnold Palmer, Curtis Strange, Hale Irwin e muitos outros, já marcaram suas presenças no campo do Gávea Golf.

É digna de registro especial as 59 tacadas conseguidas por Gary Player em 1972, durante o Aberto do Brasil.

Fundado em 1921, então denominado "Rio de Janeiro Golf Club", passou a ser chamado de "Gávea Golf and Country Club", em reunião de seu Conselho em maio de 1926. William McGregor foi quem liderou um grupo de escoceses, ingleses, norte-americanos e brasileiros objetivando a construção de um campo de golf. Por 44 mil libras esterlinas, compraram uma velha fazenda de café, incluindo a Casa Grande de estilo colonial, que é admirada por todos até hoje.

Porém desde a data de sua fundação muita coisa pode ser contada até mesmo a existência de uma mina de diamante, isto em 1800, que ficava atrás do atual *"green"* do 7.

O primeiro grande passo, foi quando contrataram um jovem escocês, chamado Arthur Morgan Davidson, para construir um campo de golf e ser o seu primeiro profissional. Com apenas 20 anos de idade, Davidson executou um trabalho excepcional, digno de um grande arquiteto. Vale dizer que este campo chegou à condição de um dos cinquenta melhores campos de golf do mundo, fora dos Estados Unidos, de acordo com pesquisa feita pela revista americana "Golf Digest". No entanto sómente em 1926, foram abertos os primeiros nove buracos para o jogo. Contudo devido aos *fairways* estreitos e *greens* pequenos e duros, além de *roughs* impenetráveis, era fácil se fazer um "3" como um "13". Desde então o campo vem melhorando e hoje seu estado é quase impecável, com grama bermuda *tyfton 328* nos *greens,* grama também bermuda *tyfton 328* nos *fairways* e irrigação automática em todo o campo. Além do golf, o Polo foi praticado intensamente em nosso Club. Iniciado em 1927, sempre eficientemente capitaneado por Sir Walter Pretyman, quando em 1974 foi interrompido por razões dos cortes decorrentes da passagem da Estrada Rio-Santos.

Dentro das personalidades famosas que visitaram o Gávea podemos citar o Príncipe de Gales, que posteriormente tornou-se o Rei da Inglaterra, Rei Leopoldo da Bélgica, Príncipe Bertil da Suécia, Presidente Scheller da Alemanha, General Dwight Einsenhower, Presidente Getúlio Vargas, General Eurico Gaspar Dutra, Presidente Gerard Ford, Secretário George Schultz.

Jogadores que fizeram a história do Club, no que diz respeito a um jogo de classe superior, podemos citar: A.C. Budd, S.G. Marvin, W.E. McGregor, W.J. Wooley, Walter C. Ratto, Bob Khan, Walter Fitch, Robert Falkenburg, H.B. Marvin, Mário González Filho, José Rafael González, Jaime González, L.F. Smith, Jenings Hoffenberg, C.H. Moreira Filho, Lauro Alberto de Luca, Rodrigo Fiães, Marcelo Stallone, Jean Paul Van Tilburg.

No setor feminino, destacaram-se Grace Oakley, André Visinand, Alice Machado, Evelyn Brand, Terezinha Camargo, Louise Brown, Pilár González, Sarita Raby, Cecília Grimaud, Isabel Dias Lopes.

Vista do buraco 5/*Hole number 5.*

À direita o número 17./*On the right, hole 17.*

Vista aérea do campo e da praia de São Conrado.
18 *Aerial view of the golf course and São Conrado Beach.*

O campo do Gávea, a praia de São Conrado e a Pedra da Gávea.
Gávea's course, São Conrado Beach with the Pedra da Gávea. 19

Os primeiros nove buracos desenvolvem-se na parte montanhosa do campo, com buracos não muito compridos mas terrivelmente difíceis. Qualquer descuido e o *"score"* fatalmente aumentará. Conta com buracos excepcionalmente bonitos como o n.º 4 cuja vista do mar é impressionante. O buraco 5, o 6 e o 8 também são bonitos e difíceis.

Já a segunda volta, ligeiramente ondulada desenvolve-se do lado do mar, com buracos da mais alta categoria, como o 10, quando jogado contra o vento, ou o 13, o 14, o 16 ou o 18, um par 4 muito ajustado e difícil para terminar o jogo.

Quando o campo está em boas condições, coisa que quase sempre acontece é confortador se jogar uma partida de 18 buracos.

Buraco 1 — 308 jardas — par 4

Um ótimo buraco para abrir o jogo. Curto mas exigente. Um ligeiro *dog-leg* para a direita, onde existem várias árvores e um rio ao longo de todo o lado esquerdo tornando-se necessário um *drive* muito bem colocado. A segunda tacada também exige muita precisão porque embora o *green* seja grande, a banca à direita e o *out-of-bounds* ao fundo entram em jogo.

Buraco 2 — 208 jardas — par 3

Um dos mais difíceis do campo. O vento, quase sempre contra e principalmente o *out-of-bounds* à esquerda, tornam o primeiro tiro extremamente delicado, ainda mais que o *green* é plano, o que não facilita o *approach*.

Buraco 3 — 498 jardas — par 5

Um par 5 fácil, porque curto e que certamente é uma definitiva possibilidade de *birdie* para os batedores que conseguem cortar caminho neste *dog-leg* para a direita, batendo por sobre o morro. A segunda tacada porém nem sempre é fácil porque o *green* é pequeno, muito traiçoeiro de cima para baixo e um *hook,* mesmo que leve, pode deixar a bola em posição quase impossível para o *approach*.

Buraco 4 — 178 jardas — par 3

Apesar de não ser muito longo é um buraco que, por ser em subida, quase sempre exige um ferro longo. O fato de não se ver o buraco do *tee,* dificulta a perfeita avaliação da posição da bandeira. Do *green* tem-se uma das vistas mais bonitas de todo o campo.

Buraco 5 — 387 jardas — par 4

Um dos mais bonitos e melhores buracos do campo. O primeiro tiro, dependendo do vento e da posição do *tee,* deve ser de madeira 3 ou ferro longo, para colocar a bola no plateau próximo ao rio, de onde é necessária uma tacada precisa para um *green* grande mas dificílimo, rapidíssimo de cima para baixo ou para *putts* laterais.

Buraco 6 — 165 jardas — par 3
Talvez o mais falado do campo. Não é longo, embora o vento predominante seja contra, mas é absolutamente imprescindível um tiro reto do *tee*. Qualquer erro pode ocasionar um *double-bogey* ou até penalidade maior, já que a bola desce o morro, em cujo cume está o *green* o que torna o *approach* praticamente impossível.

Buraco 7 — 373 jardas — par 4
Outro buraco difícil. Por ser em subida, "joga" muito mais longe do que suas 373 jardas. O *green,* elevado, não permite uma perfeita visão da posição do buraco. Um *out-of-bounds* ao longo de todo o seu lado esquerdo e uma elevação, com várias bancas e algumas árvores, do lado direito, tornam o *drive* muito difícil.

Buraco 8 — 199 jardas — par 3
Do *tee* tem-se a mais bela vista do campo, já que é o ponto mais alto. Este fato porém torna o buraco muito perigoso quando há vento, pois em dias de campeonato a bandeira é quase sempre colocada na frente do *green,* próxima ao lago, à espreita de qualquer erro do jogador. Por ser em descida, quase nunca — a não ser em dias de ventos muitos fortes — é necessário mais que um ferro médio para se atingir o *green.*

Buraco 9 — 481 jardas — par 5
É sem dúvida, o mais fácil do campo. Um *tee* elevado e um buraco que desce o tempo todo permitem vários *birdies,* pois mesmo os jogadores que não pegam forte conseguem colocar a bola com duas boas tacadas próximo ou mesmo no *green.* Aqueles que batem mais longe certamente estarão jogando a segunda tacada com um ferro longo. A área de *drive* é ampla e não apresenta problemas.

Buraco 10 — 142 jardas — par 3
É o buraco mais curto do campo e certamente o mais fácil dos pares 3, a não ser em dias de vento forte, quando as 142 jardas às vezes exigem um ferro longo. A maior dificuldade em dias de condições climáticas normais é o *green,* muito comprido, e que pode causar uma variação de até dois tacos dependendo da posição da bandeira.

Buraco 11 — 275 jardas — par 4
Juntamente com o nono é um dos mais fáceis para o *birdie.* O *green* pode mesmo ser atingido com o *drive,* mas muitos preferirão sair do *tee* com um ferro já que o *fairway,* na zona mais próxima ao *green,* é muito estreito, com coqueiros dos dois lados que penalizam qualquer erro.

Buraco 12 — 346 jardas — par 4
É o último dos buracos fáceis do campo. Um *fairway* amplo, ondulado, um *green* muito grande e que recebe bem a segunda tacada, tornam este um possível *birdie,* já que a maior

parte dos jogadores está jogando um ferro 8, 9, ou mesmo *Pitching-wedge* para o *approach*.

Buraco 13 — 435 jardas — par 4

Depois de alguns buracos fáceis começam aqui as maiores dificuldades da segunda volta e que tornam muitas vezes dramático o final dos campeonatos disputados no Gávea. Como em todos os buracos próximos à praia o vento é um fator preponderante, podendo exigir um ferro longo ou mesmo a madeira para a segunda tacada, num *green* comprido e rodeado de bancas e por um lago. A área de *drive* é larga até as 230 jardas, 240 jardas, estreitando-se a seguir, com banca e árvores dos dois lados.

Buraco 14 — 400 jardas — par 4

Um *dog-leg* para a direita e um *fairway* onde a bola não rola muito, tornam um *drive* longo e bem colocado uma exigência para os que pretendem um segundo tiro para a bandeira. O *green* é grande mas sua entrada é estreita. Como o vento predominante é contra, é um buraco que quase sempre parece mais longo que suas 400 jardas.

Buraco 15 — 381 jardas — par 4

No retorno ao lado da montanha o buraco mais fácil do final do campo. Mas um buraco traiçoeiro, já que o plantio de muitas árvores tornaram um *drive* bem colocado uma necessidade. Além disso o *green* é muito grande e às vezes o *out-of-bounds* ao fundo impressiona.

Buraco 16 — 235 jardas — par 3

É, sem dúvida, o mais difícil *birdie* do campo, embora a topografia do campo afunile próximo ao *green,* fazendo com que algumas bolas não totalmente retas atinjam o objetivo. Mas é sempre uma tacada muito longa e exigente, para um *green* cheio de ondulações e muito rápido.

Buraco 17 — 375 jardas — par 4

Outro buraco difícil. O *drive* é em descida mas o segundo tiro é para um *green* elevado e, por isso, totalmente cego. O primeiro tiro não deve ir para a esquerda porque as árvores tornariam o *green* inacessível. Este não é dos mais difíceis para o *putt* mas, por ser estreito e bem guardado por bancas é muito exigente para uma aproximação após uma segunda tacada incerta.

Buraco 18 — 410 jardas — par 4

Um ótimo buraco final. Ligeiro *dog-leg* para a esquerda — o único do campo — que fica ainda mais difícil pela presença de um rio ao longo de todo o lado esquerdo do *fairway*. As árvores à direita tornam o posicionamento do *drive* delicado. O fato de o buraco ser em descida ajuda, já que ele fica mais curto, mas o *green,* em forma de rim e com uma queda ao final, além da banca que guarda todo o seu lado esquerdo, não é dos mais fáceis, tanto para o segundo tiro como para o *putt* decisivo.

ITANHANGÁ GOLF CLUB

Pedra do Itanhangá, que em indígena quer dizer Pedra do Diabo
"Itanhangá", which means Mount of the Devil in indigenous language

Vista do green 5/*View of green 5*

O Campo de golf do Itanhangá, o primeiro do Brasil a ter 27 buracos é sem dúvida um dos bons campos que temos.

Os últimos nove buracos foram construídos para que nele os principiantes iniciassem o aprendizado do jogo.

Vale a pena ressaltar que o Campeonato Mundial Masculino esteve para ser jogado em seu campo. Razões climáticas impediram que se realizasse o evento.

Diversas competições internacionais como a Copa Los Andes (Torneio Sul Americano por equipes) os Abertos e Amadores do Brasil foram nele realizados com sucesso absoluto.

Existem buracos fantásticos no Itanhangá, citando desde logo o 2.º onde é necessário uma primeira tacada muito reta, para depois com um ferro médio alcançar um *green* bastante grande onde não é fácil colocar a bola perto da bandeira.

Temos a seguir o terceiro buraco onde o *Out of Bounds* do lado direito é muito perigoso e se pode ir fóra facilmente.

O quarto buraco é um par 3 comprido e também muito exigente.

O número seis, um par três de 187 jardas, também é muito bom, pois qualquer desvio pode ser fatal.

Os números 7, 8, e 9 são três pares 4 de distância média onde também o jogador se complica.

A segunda volta é também bastante interessante valendo dizer que os buracos 12, 16 e 18 são os melhores.

O buraco 12 com um rio cruzando em frente ao *green* faz da segunda tacada, principalmente quando a bandeira está em baixo, uma jogada muito difícil.

O número 16 é o mais comprido de todos: um *double dog-leg* onde são necessárias três tacadas perfeitas para se alcançar o *green*.

Agora vamos falar do número 18, um buraco que foi idealizado para ser final de um campeonato do mundo: (Taça Eisenhower), excepcionalmente difícil, com penalidades por demais severas, o mais difícil de todos os buracos do Brasil.

A característica principal do Itanhangá é ser
bastante plano, entretanto bastante difícil
pois é muito longo e pode ir facilmente a 7000 jardas
no comprimento. O cinco é um bonito *dog-leg*
onde a localização da primeira tacada é deveras
importante. Um lago do lado esquerdo e uma vala
na direita complicam a situação de qualquer
jogador na segunda tacada.

The main characteristic of Itanhangá
golf links is that the ground is rather
flat but the course is difficult, due to
its length that can reach 7000 yards.
Hole five is a beautiful dog-leg,
in which the fist stroke is very important.
A pond on the left and a ditch on the
right complicate the second stroke of any golfer.

Vista do magnífico buraco número 9

View of hole number 9

PETRÓPOLIS COUNTRY CLUB

No alto da Serra num planalto que se estende por quilômetros e quilômetros, numa altura de 838 metros acima do nível do mar, foi implantada uma das mais lindas cidades do Brasil — Petrópolis, hoje com trezentos mil habitantes, e que têm o privilégio desfrutar de um clima considerado o sétimo melhor do mundo. Petrópolis é uma cidade histórica que hospedou muitos moradores ilustres, entre os mais importantes D. Pedro II e toda a família Imperial e Santos Dumont, o pai da aviação. Até hoje alguns descendentes da família Imperial lá residem.

Distante mais ou menos 25 km do centro de Petrópolis no encantador distrito de Nogueira, foi fundado em maio de 1938 o Petrópolis Country Club, com o campo de golf desenhado e construído por Antonio F. Bennett, 1.º profissional do club. O campo, implantado num lindo vale cercado de montanhas por todos os lados, oferece um visual fora do comum àqueles que lá vão desfrutar das 6.102 jardas.

O Petrópolis Country Club dista do Rio de Janeiro apenas 75 km, 1 hora de carro.

O campo do Petrópolis Country Club, localizado em um vale muito bonito, sempre muito bem tratado, florido e em ótimas condições de jogo, possui vários buracos onde para se fazer um bom resultado é necessário muita precisão e técnica.

O número um, par 4 de 380 jardas, muito bom para se começar. Aparentemente fácil, mas com uma segunda tacada que não pode admitir erro pelo lado direito do *green*.

O número quatro, par 4 de 420 jardas tem como dificuldade todo o arvoredo do lado esquerdo e o lago do lado direito. Tem um novo *green,* melhor que o antigo.

O cinco, um par 3 muito difícil, mede 190 jardas, e na frente do *green* corre um riacho, banca nos dois lados e um *green* que recebe a bola no sentido quase que atravessado.

O seis e o oito são dois pares 4, não muito longos, mas que não se pode errar o *green* pelo lado direito.

O número nove, um par 5 de 475 jardas todo ele em subida e que exige duas tacadas perfeitas para se entrar no *green* com a segunda tacada. *Green* muito bem defendido pelos dois lados.

Os buracos dez e onze, muito difíceis, principalmente o número onze de 235 jardas um par 3 muito longo, que com vento contra é necessário uma madeira 3 para se alcançar o

green. O lago do lado esquerdo é simplesmente aterrador.

O número treze quando jogado na segunda volta é bem mais fácil que o número quatro. Fácil mas muito interessante.

O número quinze um par 5 de 471 jardas que se pode chegar facilmente com a segunda tacada tem como decisivo não se errar o *green* pelo lado direito.

O número dezesseis, um par 3 de 216 jardas, muito difícil e muito comprido, tem como maior dificuldade uma árvore muito alta, ligeiramente à direita do centro da linha de fogo. *Green* grande com muitas caídas.

O buraco número dezessete um par 5 de 479 jardas, muito difícil de se alcançar o *green* com a segunda tacada, pois o *green* é muito pequeno, rodeado de grandes bancas e de um riacho.

TERESÓPOLIS GOLF CLUB

O Teresópolis Golf Club foi fundado em 27 de dezembro de 1934, em terras doadas pelo Sr. Carlos Guinle.

Seu campo de golf possui 9 buracos, que foram construídos inicialmente a partir do projeto dos arquitetos canadenses Thompson Jones Co. Inc. Atualmente, depois das obras empreendidas para a regularização do Rio Paquequer, que cursa toda sua extensão em quase todos os seus *fairways,* com uma largura média de 28 metros, tornou-se um campo difícil e muito desafiante ao bom jogador. Seu traçado foi um pouco modificado. A introdução de mais 9 *tees* tornou o jogo de golf no seu campo bem mais interessante.

Situado na cidade de Teresópolis, no alto da Serra dos Orgãos a aproximadamente 1.000 metros de altura, tem clima agradável no verão e faz frio no inverno. O Teresópolis Golf Club sendo um club de serra, tem na época das férias escolares seu maior movimento, que coincide com o nosso verão nos meses de dezembro, janeiro, fevereiro e março.

O club também possui outras opções de lazer como duas piscinas, duas quadras de voleibol, três quadras de tênis e campo de futebol. Tem ainda um dos melhores centros hípicos do Estado do Rio de Janeiro, com 42 cocheiras e 2 picadeiros, um de areia e outro de grama, para a realização de concursos hípicos de nível internacional.

Vista do *tee* do buraco 5, um difícil *dog-leg,* par 4 de 395 jardas. À direita parte do *fairway* n.º 1, com o Rio Paquequer ao lado. Na página 34, vemos o buraco 3, um par 4 de 344 jardas onde a colocação do *drive* é muito importante pois uma banca do lado esquerdo vai pegar uma tacada desviada. O *aproach* para o *green* é dificil pois este é muito ondulado.

View of the teeing *ground of hole 5, a difficult* dog-leg, *par 4 of 395 yards. On the right, part of n.º 1* fairway *with River Paquequer on the side. On page 34 we have hole 3, a par 4 of 344 yards in which the placement of the drive is very important, because a bunker on the left will catch a ball desviated. The approach to the* green *is difficult, because the groud is undulated.*

Em primeiro plano o *putting green*, em seguida o *driving range;* Ao fundo o Pico do Frade
38 In the foreground, the putting green, and, following that, the driving range. In the background Pico do Frade (Friar's Peak)

Golf Hotel do Frade

O campo de golf do Frade faz parte de um dos mais completos resorts brasileiros. Situa-se no Km 123 da estrada Rio-Santos, a 2 horas do Rio.

Com 18 buracos e 6.400 jardas de comprimento é sem dúvida um dos melhores do Brasil.

O campo foi projetado pelos famosos construtores ingleses David Thomas e Peter Alliss e construído pelo profissional argentino Emilio Serra que sem dúvida alguma executou um trabalho da mais alta categoria fazendo-o deveras difícil e muito competitivo.

O campo é atravessado por rios de águas cristalinas provenientes da imensa reserva florestal que o circunda.

Como infra estrutura de lazer há aluguel de cavalos, baias, lanchas, hobbie-cat, acqualung, ski, tênnis, hotel, restaurantes, um bistrot francês, e saveiros para passear pela baía com cerca de 300 ilhas.

Visando desenvolver o esporte, oferece aos golfistas de todas as procedências nacionais e estrangeiras o uso dos seus *links.*

Mário González jogando o buraco número 2
Mário González playing hole number 2

39

Situado em
Angra dos Reis, entre Rio e
São Paulo, as principais cidades do País,
em uma baía de águas calmas, quentes
e transparentes, tem o contra forte da
Serra do Mar como moldura e o
Pico do Frade com 1600 metros de
altitude, como referência.
Located in
Angra dos Reis, between Rio and
São Paulo, the main cities of the
country in a bay of calm transparent hot
waters, it has the spur of Serra do Mar
as a frame and the Pico do Frade,
1600 m high, as reference.

42 Vista aérea vendo-se à esquerda em primeiro plano o *green* do buraco 14, par 3 de 170 jardas
Aerial view, with the green of hole 14 in the foreground, a par of 170 yards.

Vista abrangendo o números 1, 2 e o 18
View showing holes 1, 2 and 18

À direita o buraco 18, o bar do golf e o "driving range" ou campo de treino
44 *On the right hole 18, the bar of the golf shack and the driving range*

Buraco 17, par 3, de 165 jardas/*Hole number 17, par 3 of 165 yards*

EDEN COUNTRY DO BRASIL

O campo de golf do Eden Country do Brasil foi construído em Jaconé, municipio de Maricá a 45 kms do centro da cidade do Rio de Janeiro, junto a praia do mesmo nome e tendo como fundo a serra do Mato Grosso. Foi projetado pelo arquiteto português Francisco Nobre Guedes em 1976 e construído por Luis Couto Alves durante o ano de 1981. É um campo de 9 buracos, com saídas duplas perfazendo em duas voltas 6.120 jardas. É completamente irrigado e encontra-se numa zona de menor índice pluviométrico do Rio de Janeiro, favorecendo a prática do esporte todo ano. Futuramente serão construídos os outros 9 buracos.

Independente do campo de golf o club possui um grande centro hípico onde são encontrados os mais belos cavalos do Brasil.

Quanto ao campo de golf, ligeiramente ondulado e tendo como primeiro buraco um belo par 5 de 520 jardas onde é necessário 2 tacadas perfeitas para se atravessar o lago em frente ao *green,* caso contrário joga-se antes e se alcança o *green* com a terceira tacada, *green* não muito grande e muito bem defendido por duas bancas.

O buraco número dois mede 408 jardas e para alcançar o *fairway* é necessário atravessar o lago que mede desde o *tee* 170 jardas. É um ligeiro *dog-leg* com uma enorme banca no lago esquerdo na altura das 220 jardas. *Green* também muito bem defendido por bancas e bastante ondulado.

A foto que mostramos na página seguinte é do buraco número 5, um par 3 de 175 jardas, onde é necessário um ferro 4 ou 5 de precisão absoluta para se alcançar o *green,* pois o mesmo apesar de bem protegido por bancas é quase sempre jogado com o vento contra.

O número 9 é outro buraco muito bom e bonito, pois é preciso para se alcançar o *green* atravessar um imenso lago. O buraco mede 187 jardas.

48

São Paulo Golf Club

Corria o final do século XIX, quando engenheiros ingleses e escoceses que trabalhavam na "São Paulo Railway" formaram um grupo e construíram um campo de golf num terreno dos monges beneditinos, que se estendia da Estação da Luz até o rio Tietê, nas proximidades da atual avenida Tiradentes.

Com a chegada do progresso para aqueles lados no início do século, o terreno teve que ser desocupado.

Este grupo pioneiro resolveu fundar então, uma comunidade onde pudessem, além de praticar o golf reunir as famílias. E nasceu o São Paulo Country Club, em 1901, consolidado com a construção de um novo campo, no bairro da Bela Vista. Local aprazível, próximo à Avenida Paulista, em cuja via começavam a proliferar os casarões dos barões do café, este campo de golf passou a ser conhecido e visitado por numerosas famílias. Como se situava na parte mais elevada, e no início a grande maioria dos frequentadores era de origem inglesa, o local ficou conhecido como "Morro dos Inglêses", cuja denominação permanece até hoje.

J.M. Stuart foi vencedor do primeiro torneio jogado em 1903. Seu nome está gravado no troféu disputado então e até hoje guardado na sede, constituindo-se no documento cabal

da existência do club, já no começo do século. Outro troféu que conta história, a Taça Clark, a mais tradicional disputado pelo club desde 1904.

O "Morro dos Ingleses" passou a atrair mais gente e o progresso, inevitavelmente, chegou ao local, obrigando outra mudança: Bairro do Jabaquara. Lá ficaram até por volta de 1915.

Em terreno doado pela "Light" situado em Santo Amaro, para além do Largo 13 de Maio foi feito um novo campo. Corria o ano de 1915.

Com o passar dos anos, o club foi crescendo, firmando-se com um dos mais tradicionais do Estado — já com o nome de São Paulo Golf Club — e passando a ostentar invejável status.

Era preciso acompanhar o progresso. E as diretorias não descuidaram da melhoria que se faziam necessárias, para atender ao crescente número de associados e as exigências dos mesmos. Assim em 1935 foi processada a primeira reforma, quando o club contratou os serviços de um arquiteto especializado nos Estados Unidos, que com a ajuda do Profissional José Maria González, 47 anos de club, introduziu as reformas do campo e *greens* de grama, introduziu em substituição aos de areia.

Em 1964, a antiga sede, que já se mostrava pequena, foi demolida, dando lugar à atual. A grama existente foi substituída, então, pelo tipo *tifton 328*.

Quase todos os *greens* foram remodelados e novos *tees* foram feitos em quase todos os buracos. Na oportunidade foi construido também o *driving range* (campo de treino) uma antiga reivindicação dos associados. Foi também construído um mini campo com 6 buracos, de par 3, na área compreendida entre os buracos n.os 13, 14 e 15, para o jogo de principiantes menores.

O São Paulo registra com orgulho, as passagens de grandes campeões pelo club, golfistas mundialmente conhecidos como Sam Snead, Arnold Palmer, Billy Casper, Bob Toski, Tom Watson, Roberto de Vicenzo, F.R. Stranahan, Ted Kroll, Lou Graham, Mario Gonzalez, Jay Hebert, Ray Floyd, Mike Souchak, David Thomas, Vicente Fernandez, Day Rees, Jim Turnesa, Lloyd Mangrum, Tom Weiskopf, Lanny Watkins, Henry Cotton, Tony Jacklin, Antonio Cerda, Leopoldo Ruiz, J. B. Segura, Martin Pose, Fay Croker, P. Diniz e muitos outros que pedimos desculpas por não mencionar.

O campo do São Paulo Golf Club, é um dos mais

agradáveis para se jogar, pois é ligeiramente ondulado, e tem buracos de conceito técnico muito bom, um arvoredo muito bonito, sempre florido e uma grama de ótima qualidade em todos os seus *fairways, greens* e *tees*.

Sendo todos os buracos bons, alguns deles sobressaem como por exemplo o número três, um longo par 5 de 583 jardas onde são necessárias 3 tacadas muito boas para se alcançar o *green*.

Outro interessante é o número cinco, um par 4 de 442 jardas também comprido, mas em ligeira descida onde a colocação do *driver* é muito importante pois o *out of bounds* à esquerda, a banca e as árvores à direita penalizam qualquer tacada que não for bem jogada. Com um ferro 5 ou 6 na segunda tacada se alcança o *green*.

Outro buraco difícil é o número seis, um par 4 de 468 jardas deveras longo onde sempre é necessário um ferro longo ou até mesmo uma madeira 3 ou 4, para se alcançar o *green* na segunda jogada.

A seguir o número sete, um par 3 fácil com um *green* muito grande, rodeado de bancas.

O número oito, buraco comprido, onde a dificuldade maior é o lago do lado esquerdo e as bancas do lado direito.

O número nove é um par 3 de 155 jardas, onde um lago do *tee* ao *green* e um *green* muito difícil de se jogar o *putt* são as dificuldades maiores.

Outro interessante é o número onze, um par 4 de 349 jardas, muito bonito, com banca no lado esquerdo e um lago no lado direito, fazendo dele um buraco sumamente ajustado.

O número treze, outro longo par 5 de 548 jardas muito interessante, pois as duas primeiras tacadas devem ser bem precisas, pois caso contrário qualquer dificuldade deve surgir.

Os seguintes quatorze e quinze, dois dos mais difíceis do campo, pois além de muito compridos, são muito bem defendidos por bancas.

O número dezessete, um par 5 relativamente fácil de se conseguir o *birdie* com 511 jardas, mas é necessário uma segunda tacada perfeita para alcançar um *green* muito bem defendido.

Para terminar o número dezoito, um par 4 de 390 jardas, muito bonito, com a sede do club no fundo, muito interessante para se apreciar as finais dos torneios.

São Fernando Golf Club

Na altura do Km 28 da rodovia Raposo Tavares, situa-se um dos clubs mais tranquilos e bonitos do Estado de São Paulo, o São Fernando Golf Club. Com 30 anos de existência, já atingiu renome internacional, tendo sido escolhido entre outros campos do mundo como sede para a realização do *Shell's Wonderful World of Golf* de 1971.

Preenchendo vinte alqueires do loteamento Vila S. Fernando atrai a admiração de muitos golfistas por suas excelências técnicas e de localização pois embora próximo à cidade está ainda livre dos ruídos urbanos; e pelo equilíbrio de seus 18 buracos, que alternam as dificuldades de maneira harmoniosa.

Além do campo, os sócios podem desfrutar ainda de uma agradável sede, com restaurante e sala de jogos para as crianças, existe um enorme pavilhão de lazer, equipado com piscina, play-ground e lanchonete.

O campo, de características para grandes campeonatos, foi inaugurado em 1954 e é hoje um dos mais interessantes no Brasil. Com 6.551 jardas e um desenho de *fairways* cuidadosamente planejado, ele oferece aos golfistas excelentes oportunidades para saber o que é um bom campo.

O São Fernando Golf Club, sem dúvida é um dos melhores e mais difíceis campos de golf do Brasil, conta com buracos em seu campo da mais alta técnica.

O principal fato para se fazer um bom resultado, é a colocação exata da primeira tacada, em quase todos os buracos, pois seus *fairways* são estreitos e excepcionalmente bem delineados por um muito bonito arvoredo (Pinus Elliot).

O buraco n.º 1, um par 4 fácil de 370 jardas, muito cômodo para se iniciar o jogo.

Já o buraco n.º 2, um par 4 de 394 jardas, difícil, pois o lago à esquerda e o rio atravessando seu *fairways* e ainda um *green* bem defendido fazem suas principais dificuldades.

O número três, de 423 jardas um longo par 4 ligeiramente em subida, lago à esquerda, riacho à direita e um *green* muito difícil de se jogar, são suas fortes características.

Os buracos Nos. 7, 8 e 9 constitui uma sequência estremamente difícil onde a precisão é de maior importância principalmente o buraco n.º 9, um par 4 muito comprido, sem dúvida um dos melhores do Brasil, onde é necessário um ferro longo ou mesmo uma madeira 3 ou 4 para se alcançar um *green* dificílimo, pois a grande banca do lado esquerdo tem uma importância muito grande. Banca extremamente funda.

A segunda volta se inicia com dois pares 4 respectivamente de 377 e 399 jardas, não muito compridos porém muito difíceis, pois a colocação da primeira tacada é de importância vital. O *green* do número 10 é simplesmente diabólico. O buraco n.º 12 um par 3 de 158 jardas, enfeitou devéras a 2.ª volta. É muito bonito. O número 13, um par 5 de 535 jardas onde a preocupação principal é de não errar o *fairway* pelo lado direito tem um *green* bastante difícil de se jogar.

Já o n.º 14 e o n.º 15 de pares 4, muito longos, difíceis, dão à segunda volta uma personalidade toda especial. É necessário sempre, com muita precisão colocar a tacada certa, pois existem *"fairways"* estreitos, lagos, riachos, muitas árvores e bancas perigosas.

O buraco n.º 16, um novo par 3 de 180 jardas com um lago em sua frente e à esquerda, é um *green* muito bem defendido por bancas.

Já o n.º 17, um par 5 de 590 jardas, tem como característica principal ser o mais longo do campo e ainda conta com um grande lago à esquerda e o rio Cotia à direita.

Para terminar o buraco n.º 18, um par 4 de 301 jardas, curto, aparentemente fácil porém muito complicado, pois não se vê onde está colocado o buraco. Muito agradável para se apreciar os torneios, pois a visão é muito bonita.

Chegada do buraco 9, um lindo par 3/*Arrival at hole 9, a beautiful par 3*

Vista do novo buraco 16, com um lago que tem à sua direita a visão do antigo *green*
View of new hole 16, with a pond and, on the right, the old green

63

Vista do 17, com 344 jardas, um par de dificuldade média que tem como fundo a represa do Guarapiranga

View of number 17, with 344 yards, an average-difficulty par, with Guarapiranga Dam as backdrop

CLUB DE CAMPO DE SÃO PAULO

Fundado em 1937 o Club de Cámpo de São Paulo, em seus 1.200.000 m², foi, aos poucos, sendo estruturado para oferecer variadas opções esportivas a seus sócios. Lá seus dois mil associados dispõem de condições para praticar outros 11 esportes além do golf: hipismo, esqui aquático, iatismo, tênis de campo, futebol, sinuca, esgrima, arco e flecha, natação, handebol e bridge. Assim surgiram os departamentos Náutico, Hípico e de Tênis.

Uma de suas características é o fato de alguns de seus associados serem proprietários de alguns dos chalés espalhados por toda sua enorme área. Mas como eles não são suficientes para todos os sócios, e lá existir o costume de se permanecer no club nos fins de semana, também estão disponíveis motéis, onde se pode contornar o problema de alojamento. Outra particularidade é o fato do club dispor de cinco sedes — uma principal e mais quatro para departamentos, como o do golf.

O Golf demorou um pouco mais. Sòmente em 1958 o Club contou com os primeiros nove buracos em cujo projeto colaboraram José Maria González e Gastão Almeida e Silva.

Em 1964 foram completados os outros nove buracos e inaugurada a sede própria do departamento.

O campo do Club de Campo de São Paulo, tem ao seu lado como beleza permanente, a represa que leva o mesmo nome. Bastante ondulado, e sempre melhorando o seu aspecto técnico, possui buracos onde é necessário empregar muito bom jogo para se conseguir um bom resultado.

Na primeira volta o buraco n.º 7, par 5 de 595 jardas, o mais longo de todos exige do jogador de muito baixo *handicap* 3 tacadas perfeitas para se chegar ao *green,* aliás este muito grande onde é muito fácil se fazer 3 *putts*.

O número 8 um par 3 de 179 jardas, também é outro buraco muito bom, pois qualquer erro pelo lado direito pode ser fatal.

Já na segunda volta, o número 10, fácil mas muito exigente. Falamos agora do número 13, um par 5 de 502 jardas, talvez o melhor buraco do campo, onde a colocação da primeira tacada e também da segunda tacada são fatores importantes para se conseguir um bom resultado.

O número 17 é outro par 4, de 344 jardas muito interessante, não muito comprido mas se não se colocar bem a primeira tacada, facilmente vai levar a um *bogey* certo.

O último buraco o 18 um par 5 de 527 jardas sempre em subida também é um dos bons buracos do campo.

PL GOLF CLUB

Até 1968, os japoneses radicados no Brasil tinham uma séria dificuldade para jogar golf: a barreira idiomática, que impedia seu entendimento com os parceiros. Com essa percepção, dois anos antes, Ikuzo Hirokawa, na época presidente da Câmara do Comércio e Indústria Japonesa no Brasil, solicitou ao patriarca da Perfect Liberty, Tokuchika Miki, a criação de um campo de golf exclusivo para a colônia japonesa. A solicitação foi imediatamente atendida, já que Miki sempre se empenha em realizar empreendimentos benéficos à coletividade.

Essa solicitação, acontecida no Japão, foi o marco inicial da fundação do P.L. — Perfect Liberty - Golf Club que, em 1968, já tinha construídos seus primeiros nove buracos. A partir dai, ele não parou de crescer, servindo aos executivos vindos do Japão e a enorme número de nipônicos que aqui estabeleceram moradia. Em maio de 85, foram inaugurados os últimos nove buracos, completando 27, número só atingido por um outro club, o Itanhangá, no Rio.

Nesse mesmo ano, foram realizados no P.L. os campeonatos amadores brasileiros, masculino e feminino, e os interclubes brasileiros. Seu Torneio Aberto está entre os quatro mais importantes do Estado, contando, anualmente, com a participação dos melhores golfistas do País.

Vista do buraco 4, tendo ao fundo a sede social
Hole number 4, with the clubhouse in the background

70

Buraco número 3 com 192 jardas
Hole number 3, with 192 yards

74   Buraco número 9, um bonito par 5, com 507 jardas
Hole number 9, a beautiful par 5. With 507 yards

ARUJÁ GOLF CLUB

A Arujá Golf Club nasceu, nos idos dos anos 60, de um sonho. Na época, 50 amigos desejavam desfrutar de um club com, no máximo, 500 sócios.

Para tanto, reuniram Cr$ 30 mil e deram como sinal na aquisição de uma área de 35 alqueires, em 1961. Um ano mais tarde, o ingresso de mais 165 novos associados permitia a formalização da compra, por Cr$ 175 mil.

Hoje, o sonho é uma realidade. Atingido o limite de 500 sócios, o Arujá Golf Club cobre uma área de 35 alqueires, onde se encontram um campo de golf em ótimas condições e uma sede principal, com 1.785 metros quadrados. Uma de suas maiores atrações, contudo, é o pavilhão infantil, onde a criançada desfruta de restaurante, piscina, play-ground, televisão, sinuca e pebolim.

No mês de julho, acontece, ano a ano, um torneio de comemoração do aniversário do club, fundado oficialmente em uma assembléia realizada no dia 29 de junho de 1965. O presidente do ato, recorda-se, era Isao Ono, Hadjime Icuno era o secretário e lá estavam ainda Minoru Otsuka, Taiti Hase, Hisae Tanizaki e Kenischi Ishioka.

Buraco número 1, par 4 de 356 jardas
Hole number 1, par 4 of 356 yards

O campo de golf também foi construído em etapas. Os primeiros nove buracos foram inaugurados em 1968, oito anos antes dos nove restantes, quando se disputou o primeiro torneio oficial do club. Hoje, a competição de maior tradição é o Aozora, que significa céu azul em lembrança dos dias ensolarados nos quais os primeiros freqüentadores se reuniam para dar suas tacadas. Essa disputa se realiza mensalmente, com competições femininas e masculinas, e hoje já conta com mais de 250 inscrições.

Vista desde a saida do buraco número 9, 507 jardas, par 5
View seen when leaving hole number 9, 507 yards, par 5

Vista do *green* do 9, com a sede ao fundo
View of the green *from number 9, with the clubhouse in the background*

GUARAPIRANGA
GOLF & COUNTRY CLUB

O Guarapiranga Golf & Country Club foi fundado em 16 de janeiro de 1962 por um grupo de pessoas em grande parte ingleses, e por assim dizer a continuidade do Club de Golf, Anastácio, mais conhecido por Pirituba, está pitorescamente situado numa área de um milhão de metros quadrados incrustada entre bosques e matas naturais sinuosamente margeado por morros e de um lado banhado pela represa do Guarapiranga proporcionando vistas maravilhosas.

Surgiu o club da necessidade de se desocupar uma propriedade arrendada ao Frigorífico Armour, utilizada há 32 anos por um grupo de funcionários da "São Paulo Railway Co" que formavam o Club de Golf Anastácio também conhecido como Pirituba, nome do bairro onde estava localizado.

Na ocasião, os sócios se reuniram e decidiram comprar a atual área.

A foto ilustra o buraco 16, um par 3 de 148 jardas onde é necessário um tiro preciso com ferro 9 para se atingir o *green* que se apresenta com ligeiro aclive protegido por bancas e um lago frontal, e quase sempre jogado com vento contra.

A nova fachada da séde, incluindo o bar de passagem, localizada entre o arvoredo oferece um ambiente silvestre e acolhedor.

Seus primeiros nove buracos, só surgiram em novembro de 1967, quando foram realizadas diversas importantes competições.

O campo agora com 18 buracos é bastante competitivo, topográficamente ondulado e bem construído, permite o

escoamento rápido das aguas da chuva, propiciando desta maneira a possibilidade de sua utilização durante o ano todo.

O buraco n.º 2, um par 3 em ligeiro aclive com 160 jardas para cavalheiros e 123 jardas para as damas. O *green* é de tamanho médio e está protegido por bancas laterais e pode ser alcançado com um ferro n.º 6 todos os *greens* do campo foram construídos para serem atingidos com precisão, pois são bem defendidos por bancas e lagos.

TERRAS DE SÃO JOSÉ GOLF CLUB

O campo de golf Terras de São José, está localizado em Itu, Estado de São Paulo, à 90 kms. desta cidade.

Os primeiros 9 buracos foram inaugurados em 1980 e os segundos 9 buracos estarão em jogo até fins do corrente ano.

Este campo faz parte do condomínio de mesmo nome, um dos mais bonitos e completos da América Latina, onde o esporte tem lugar de destaque. Ao lado do golf, o tênis e o hipismo foram escolhidos para complementar o projeto.

O percurso de 18 buracos tem um total de 6.700 jardas com variadas condições técnicas, fazendo com que o jogador seja exigido ao máximo.

A construção deste campo se deve aos proprietários das Terras de São José, Srs. Jacob Ferdermann e Rosaldo Malucelli, os quais, sem onus para os condomínios deste magnífico empreendimento, colocaram à disposição do Golf, as instalações hoje existentes. Hoje cerca de 250 residências cercam o golf com jardins tropicais.

O projeto dos segundos nove buracos foi executado por Ricardo Rossi e modelado pelo técnico Emílio Serra.

Em pouco tempo teremos um campo à altura das exigências dos golfistas do Brasil e do exterior, o qual também conta com as magníficas instalações do hotel São Rafael, de 5 estrelas.

SANTOS-SÃO VICENTE GOLF CLUB

Foi fundado em 1915 pela colônia inglesa de Santos, na época em que metade do café do mundo era embarcada nesse porto. Apesar de possuir apenas 9 buracos, seus Opens anuais são assiduamente assistidos por jogadores de muitos clubes do Brasil. É localizado na costa, em São Vicente, e, como a maior parte dos clubes de golf no Brasil, também tem uma piscina para os golfistas que acham a praia muito longe.

Algum tempo após a fundação foi erguida uma sede social de madeira nobre e pinho de riga. Tinha um bar, os vestiários, masculino e feminino, e um terraço. O número de sócios efetivos era grande, bem maior até do que hoje. Até 1936, a maioria absoluta, dos sócios era de anglo-americanos; Os brasileiros eram pouquíssimos. Com o início da Segunda Guerra Mundial, muitos dos sócios retornaram, ou à Inglaterra ou aos Estados Unidos, para se alistarem nas forças armadas que combatiam na Europa.

Um dos fatos históricos mais marcantes do Club, foi a visita do então Príncipe de Gales, mais tarde Rei Eduardo VIII e Duque de Windsor, que no dia 4 de março de 1931, demonstrando ser um jogador de sorte logrou fazer um *hole-in-one,* e até hoje uma placa de pedra no 3.º *tee* registra o fato.

ANO	LOCAL	JOGADOR	SCORE
1945	Gávea	Martin Pose (ARG)	275
1946	São Paulo	Mário González (BRA)	274
1948	São Paulo	Mário González (BRA)	270
1949	Gávea	Mário González (BRA)	269
1950	São Paulo	Mário González (BRA)	270
1951	Gávea	Mário González (BRA)	272
1952	São Paulo	Sam Snead (EUA)	267
1953	Gávea	Mário González (BRA)	270
1954	São Paulo	Roberto de Vicenzo (ARG)	277
1955	Gávea	Mário González (BRA)	275
1956	São Paulo	Fidel de Lucca (ARG)	278
1957	Itanhangá	Roberto de Vicenzo (ARG)	281
1958	São Paulo	Billy Casper Jr. (EUA)	270
1959	Gávea	Billy Casper Jr. (EUA)	268
1960	São Paulo	Roberto de Vicenzo (ARG)	271
1961	Gávea	Peter Allis (GB)	272
1962	São Paulo	Bernard Hunt (GB)	273
1963	Itanhangá	Roberto de Vicenzo (ARG)	279
1964	São Fernando	Roberto de Vicenzo (ARG)	285
1965	Gávea	Ramon Sota (ESP)	268
1966	São Paulo	Rex Baxter (EUA)	277
1967	Itanhangá	Raul Travieso (ARG)	281
1968	São Fernando	Takaashi Kono (JAP)	282
1969	Porto Alegre	Mário González (BRA)	280
1970	São Paulo	Bert Green (EUA)	276
1971	Itanhangá	Bruce Fleisher (EUA)	280
1972	Gávea	Gary Player (AS)	270
1973	São Fernando	Roberto de Vicenzo (ARG)	279
1974	Gávea	Gary Player (AS)	267
1975	São Paulo	Priscillo Diniz (BRA)	274
1976	Porto Alegre	Juan Quinteros (ARG)	279
1977	São Paulo	Vicente Fernandez (ARG)	274
1978	São Paulo	Raymond Floyd (EUA)	277
1979	Gávea	Fidel de Lucca (ARG)	270
1980	São Fernando	Jerry Pate (EUA)	274
1981	Itanhangá	Tom Sieckman (EUA)	284
1982	Gávea	Hale Irwin (EUA)	265
1983	São Paulo	Vicente Fernandez (ARG)	277
1984	Itanhangá	Vicente Fernandez (ARG)	277
1985	Gávea	Robert Lee (INGL)	272
1986	São Fernando	E. Caballero (BRA)	277

HISTÓRIA DO ABERTO DO BRASIL

O Campeonato Aberto de Golf do Brasil foi instituído em 1945, quando se realizou no Gávea Golf and Country Club do Rio de Janeiro, tendo como campeão o argentino Martin Pose. Dali em diante, alternando-se entre o Gávea e o São Paulo Golf Club, com algumas realizações no Itanhangá, no São Fernando e no Porto Alegre Country Club, contou com a participação de grandes jogadores do país e do exterior. Hoje constitui-se numa marca do calendário do golf mundial.

Ao longo de sua história, este Campeonato teve jogadores estrangeiros assíduos ganhadores como o argentino Roberto De Vicenzo.

À esquerda vemos o buraco n.º 1, um difícil par 4 todo em descida. Aterrador, o buraco tem sua ameaça completa pela presença de oito jacarés
90 *On the left, hole number 1, difficult par 4, all downhill. Terrifying, this hole becomes even worse due to the presence of eigt alligators*

SÃO FRANCISCO GOLF CLUB

Apaixonado esportista e fascinado pelo golf, o Conde Luiz Eduardo Matarazzo, caçula dos 13 filhos do fundador das IRFM, costumava dar umas tacadas em seus 3 buracos num sítio "fora" de São Paulo onde ele passava fins de semana e algumas tardes. Este sítio, em 1935, situava-se na atual Av. Faria Lima, exatamente na área hoje ocupada pelo Shopping Center Iguatemi.

Pouco depois, ainda antes do início da 2.ª Guerra Mundial, o Conde decidiu dar a São Paulo um verdadeiro campo de golf que deveria ter 18 buracos.

Numa fazenda de propriedade da Cia. Urbana Paulista, além do Rio Pinheiros, e quase em Osasco, foi então escolhida uma área possível e ao mesmo José Maria Gonzalez, desta vez então com a ajuda do Sr. José Gallosta Coelho y Portugal, consul da Espanha em São Paulo, foram confiados os trabalhos para a execução dos primeiros 9 buracos que foram abertos em 1942.

No mesmo ano ficou pronta também a "Club House", igual até hoje, cujo arquiteto foi o próprio Conde Matarazzo.

Por causa da guerra o Club começou realmente a funcionar somente em 1944 e, anos depois, foi contratado um conhecido Professor Argentino: Amando Rossi.

Rossi ficou no S. Francisco até 1958, mas de 1944 para a frente a história do S. Francisco se confunde com a história do golf paulista e brasileiro.

O São Francisco continua como club particular de Golf e tênis sob a presidencia da filha do fundador, Condessa Graziella Matarazzo Leonetti, que o herdou do pai em 1958.

Em 1966, o campo ganhou um estranho presente do Conde Barnabo Visconti di Modrone, pelo qual se tornou famoso: oito jacarés vieram de Mato Grosso só para distrair os jogadores que batessem no desafiante buraco n.º 9.

Em 1.º de junho de 1970, o club viu pela primeira vez uma competição com os grandes nomes do golf latino-americano e mais alguns europeus. Ganhou Florentino Molina jogando contra os argentinos R. de Vicenzo, F. de Luca, L. Rapisarda, C. Fernandez, e os ingleses M. Gregson e D. Thomas e todos os melhores brasileiros da época.

O campo, hoje todo em *bermuda* tem um arvoredo magnífico, lagos e um bom gosto impressionante
The links, now all planted with Bermuda, have beautiful trees, ponds all in excellent good taste.

LAGO AZUL GOLF CLUB

O Lago Azul está situado no município de Araçoiaba da Serra perto de Sorocaba, no estado de São Paulo.

Distante 110 km da cidade de São Paulo, tem como acessos principais à rodovia Presidente Castelo Branco e a rodovia Raposo Tavares, no km 113.

O campo de golf, faz parte de um complexo urbanístico ligado à um condomínio de residências, que o rodeiam em ambos os lados e por toda sua extensão.

O campo de golf foi totalmente projetado com 18 buracos, ocupando uma área de 450.000,00 m2, estando 9 buracos já concluídos, desde 1976, com uma área de 280.000,00 m2.

O comprimento do campo, supera as 7.300 jardas, com um *Course rating* de 75,3 para homens e 75,9 para mulheres.

Construido numa região de montanhas, mas de topografia bem suave, à 700 metros de cota acima do nível do mar, em clima sêco e de pureza de ar excepcional.

O percurso é de par 72, e foram criados diversos lagos, ligados à estratégia do jogo.

A idéia e o patrocínio foi de Tito Livio Martins Netto, o projeto e a execução foi do arquiteto Argentino Enrique Serra.

Foi necessário cerca de um ano de viagens, estudos, pesquisas e projetos prévios, antes de se determinar o traçado real e definitivo para o campo, conjugado com as moradias.

O que se obteve, foi um perfeito ajuste entre as residências e o campo, atentando-se para detalhes de grande importância, como: topografia, visibilidade, escoamento de águas pluviais, acesso, declividade, orientação, tranquilidade, beleza e outros.

Os *greens,* com bermuda *tifton 328,* foram modelados em função da estratégia de cada *fairway,* e possuem uma superfície média de 700,00 m2 que possibilitam diversas localizações da bandeira, permitindo assim, grande versatilidade de jogo.

Os *tees,* no Lago Azul, com bermuda *tifton 328,* são enormes e foram construídos em diversos planos, de tamanho, altura e formas, sendo seu comprimento de 90 jardas e a largura de 10 jardas.

Os *fairways,* totalmente gramados com bermuda *tifton 328,* foram em tôda sua extensão totalmente modelados, sendo sua área central plana e as laterais em forma de dunas, sendo que sua largura, nunca é inferior a 90 jardas.

O *driving-range*, também com grama bermuda *tifton 328*, com 300 jardas de comprimento, possibilita o treinamento de até 29 jogadores ao mesmo tempo, contando ainda com um *Putter Green*, modelado exatamente igual aos *green* do campo e uma grande banca de areia para prática.

Para ressaltar mais a beleza e dificultar o jogo foram plantadas, em torno de 20.000 árvores de 27 espécies diferentes, nos primeiros 9 buracos do campo.

Desta forma, o resultado obtido foi um campo onde pode-se observar a beleza e amplitude de seus *greens, tees e fairways,* a adequada colocação dos *Cross Bunkers* e bancas de *greens* e principalmente a maravilha de se jogar num campo longo todo de bermuda, rodeado por milhares de árvores e circundado por diversos lagos.

O Lago Azul Golf Club foi fundado em 21 de novembro de 1978.

Guarujá Golf Club

O Guarujá Golf Club situado no Balneário da Praia de Pernambuco no Guarujá, a uma distância de 130 Kms. da capital do Estado de São Paulo, foi fundado em 1960 e oficializado em 1962.

É um campo de 9 buracos com saidas diferentes na 2.ª volta, medindo 6.103 jardas, com um par de 72 e que é conhecido tanto por sua beleza como também pelas dificuldades que apresenta. Não é muito comprido, entretanto apresenta muitos desafios por serem seus *fairways* estreitos e repletos de lagos artificiais, o que constitui um grande desafio tanto para os amadores como para os profissionais, que dificilmente conseguem quebrar o par do campo.

Foi projetado e construído pelo Engenheiro Nuno Duarte Sottomayor e vale a pena ser jogado.

CLUB DE GOLF DE BRASÍLIA

Árvore típica do cerrado/*Typical brush-country vegetation*

103

Com o objetivo de ajudar a viabilizar a tranferência definitiva da Capital da República para Brasilia, um grupo de esportistas deu início a organização e construção do Club em 11 de março de 1964. Assim, à beira do Lago Paranoá e à menos de 4 quilômetros da Praça dos Três Poderes, surgiu o Club de Golf de Brasilia. É um campo com 18 buracos dos quais quatro são jogados às margens do Paranoá. É um club de características especiais, já que é o único lugar em que se pode jogar golf em zona de cerrado, a vegetação característica desta parte do Brasil.

Foi desenhado pelo arquiteto de reputação mundial, em campos de golf, o americano Robert Trent Jones. O traçado é muito bonito e o campo é de topografia levemente ondulada. A altitude na área é superior à mil metros. Totalmente irrigado, joga-se golf o ano inteiro. Tem-se seis meses de seca absoluta e outros seis meses com chuvas de verão, as quais não impedem a prática do esporte.

Situa-se no Setor de Clubs Esportivos Sul, Trecho 2, Lote 2, à beira do Lago Paranoá. Sua extensão é de 6.659 jardas, e o para, 72.

O clima de Brasília é seco e fresco e as temperaturas variam de 17 a 29 graus.

Green do campo 16, ao fundo vista parcial do lago Paranoá. Na beira do lago ainda temos os *green* dos campos 7, 8 e 17

Green 16, with partial view of Lake Paranoá in the background. On the margin of the Lake we have greens 7, 8 and 17.

Green do campo 18, com arvoredo profundamente tropical.
Na página anterior vemos o *green* do campo 16
Green *18, with typical tropical trees*

CLUB CURITIBANO

À disposição dos vinte e cinco mil frequentadores entre sócios e dependentes, o Club Curitibano, no Paraná, não reserva apenas delícias da tranquilidade de um bom campo de golf. Em sua área de 30 alqueires, no município de Quatro Barras os associados podem praticar tênis, natação, vôlei, basquete, futebol de salão, caratê, balé, ginástica rítmica, musculação e condicionamento físico.

Isso se deve ao fato do Club Curitibano já existir antes mesmo de lhe ser adicionado o atual campo de golf. No início de sua história, quando se chamava Paraná Golf Club, havia apenas nove buracos.

As instalações atuais compreendem duas sedes, uma social e outra só para os golfistas, que lá dispõem de vestiários e um pequeno restaurante exclusivos. Quanto ao campo, pode-se dizer que o traçado é bem particular: *tees* compridos e largos, alguns arredondados ou em forma de meia-lua, *greens* com tamanho mínimo de 300 metros e dois *fairways* de 50 metros de largura.

Quem participou de toda a construção do novo campo foi o argentino naturalizado brasileiro Federico German. Unido a Luiz Dedini, desenhista, e ao projetista de irrigação Henrique Serra, German vistoriou cada etapa das obras.

Traçado pronto, chegava a hora de cuidar do visual. Foram chamados os engenheiros florestais Luiz Benedito Xavier da Silva e Frederico Reichman Neto, autores de um projeto que previa o plantio de 5.000 árvores, hoje totalmente cumprido.

O imóvel de belíssima topografia, tem como vista permanente a Serra do Mar, com uma sede construída com estilo e decoração tipicamente europeus.

É hoje o único campo de golf com 18 buracos do Paraná, sendo também considerado um dos melhores do Brasil.

Buraco 11, ao fundo a Serra do Mar
Hole 11 and Serra do Mar (Sea Range) in the background

112 Buraco número 2 / *Hole number 2*

Graciosa Country Club

Na verdade a história do moderno e atualizado Graciosa Country Club começa nos idos de 11 de novembro de 1914 com a fundação do Sport Club Germania 1914, cujo nome foi alterado em 11 de maio de 1921 para Graciosa Tennis Club. Mas para todos os efeitos, a data da fundação, que adveio da fusão do Graciosa Tennis Club com o Curitiba Golf Club, é 14 de julho de 1927. Tendo sido seu primeiro Presidente o saudoso Ivo Leão e a primeira Comissão de Golf foi constituida pelos senhores Refowler, B. Mor e Hermano Machado. A primeira tacada no campo de golf, dando-o por inaugurado, foi dada pela senhora B. Mor, às 10:00 horas da manhã do dia 14 de julho de 1927.

Localizado a poucos quilometros do centro da cidade de Curitiba, o club está instalado em cerca de 290.000 metros quadrados, com um campo de golf de onze buracos, instalações completas para a prática do tênis, com dez quadras: sendo seis iluminadas, um ginásio coberto com duas quadras e cinco vestiários. Duas piscinas, canchas para futebol iluminadas, para volley-ball, para squash e outras completam a parte esportiva. A sede social, a sede do golf bem como a maioria das edificações, mantém o estilo aplicado desde a primeira construção, a sede social, dando um ar agradável de

Vista do buraco 14
View of hole number 14 113

tradicionalismo britânico. Ainda agora, está sendo construi-
da a indispensável irrigação total do campo de golf que virá
possibilitar o plantio e a conservação dos mais variados tipos
de vegetação, que hoje é constituida em grande parte por
plantas nativas e já adaptadas ao clima. Também uma recu-
peração de solo e reforma de *fairways* e *greens* está em
andamento. Muitas partidas foram jogadas desde aquela tacada em 14 de julho de 1927, mas o destaque golfístico do
club é o tradicional e anualmente realizado Campeonato
Aberto Cidade de Curitiba, que abre as temporadas anuais
de golf do país, por ser o primeiro e portanto, o mais antigo
torneio nacional, do qual, neste ano de 1986 foi realizada a
trigésima oitava edição. Desde 1946 também são realizadas
no club os Campeonatos do Estado do Paraná.

Excelentes golfistas nasceram no club mas devemos des-
tacar o hoje profissional Carlinhos Dluhosch, que se iniciou
no esporte aos 12 anos, foi diversas vezes campeão do club,
campeão do Estado do Paraná e manteve o cetro de campeão brasileiro amador por muitos anos.

O campo está sob cuidados do *green-keeper* Eduardo
Caballero, profissional de golf, que está entre os três primeiros colocados no *ranking* nacional de profissionais.

Vista do lago do buraco 4, tendo o *green* ao fundo
View of the pond near hole 4, with the green *in the background*

Porto Alegre Country Club

O Porto Alegre Country Club, um dos mais tradicionais, completou 56 anos de fundação neste último mês de maio.

Conta a estória que por iniciativa de Carlos Pereira Sylla que na época procurou o "Texano" Joseph E. Millender, então presidente das Empresas Elétricas de Porto Alegre, pois soube que ele, junto com alguns amigos diretores do British Bank e do South American Bank batiam bola num pequeno "potreiro" não muito distante do atual campo.

Após longa procura por um terreno apropriado, descobriu-se uma área do agrado geral e que por coincidência ficava ao lado do atual terreno de bater bola e que pertencia a Santa Casa de Misericórdia.

Consultando "os golfistas" e mais alguns amigos entre os quais Pelegrin Filgueiras, Victor Kessler, Norberto Jung e Carlos Hoffmeister e outros acertou a compra deste terreno próximo à antiga e hoje histórica "Chácara das Três Figueiras", uma área de 370 mil m2 por 200 contos de réis.

Os primeiros nove buracos foram construídos por Sylla, Millender e mais alguns outros sócios. Logo após contrataram os serviços do profissional J. M. Gonzalez para os arranjos finais, como também para administrar aulas de golf por 30 dias aos que se iniciavam na prática do jogo.

O campo no seu estado atual, com a construção dos segundos nove buracos e com todas as melhorias apresentadas tornou-se um dos bons do país.

Deve-se muito a vários dirigentes e aos profissionais: Angel Corona, Pablo e Fortunato Miguel e Alberto Serra.

Este campo tem sido palco de grandes disputas internacionais como o Aberto e o Amador do Brasil e conta como seus representantes jogadores de classe internacional sobressaindo-se Elizabeth Nickhorn, Fernando Chaves Barcellos, seu filho Antonio, um dos melhores da América do Sul.

Na nova geração destacam-se Claudia Bertaso, Cristina Schimitt, Antonio C. Barcellos, Aldo Wolf e Vitorio Gheno.

O Porto Alegre Country Club, um dos bons clubs do Brasil, cujo campo foi cenário de muitas competições nacionais e internacionais, de terreno ligeiramente ondulado, conta com buracos muito interessantes de se jogar. Conta também com uma belíssima sede social, centro de reuniões da sociedade de Porto Alegre.

O número 1, um par 4 não muito comprido, ideal para se iniciar o jogo, mas muito exigente, pois a primeira tacada é de muita importância.

O número 2, um *dog-leg* bastante pronunciado, com um

terreno muito inclinado, um *green* grande em dois níveis, bem protegido por bancas fazem disso suas maiores dificuldades.

O número 3, um longo par 3 que normalmente se joga com um ferro de longo alcance tem como maiores dificuldades o "fora de campo" do lado direito e o declive muito acentuado do lado esquerdo. Um muito bom buraco.

O número 10, o melhor do campo tem como suas principais dificuldades, distância, um riacho atravessando a linha de jogo, mato em ambos os lados, *green* enviesado e muito ondulado e muito bem defendido por bancas.

O n.º 13 bastante comprido, *green* muito grande em dois níveis e com muitas caídas, é deveras difícil de se jogar o *"putt"*.

O número 16 é um par 3 de distância média, mas também muito exigente.

O número 18, aparentemente fácil é outro buraco que engana, pois é necessário se colocar a 1.ª tacada muito bem, para depois se jogar uma segunda tacada, de ferro nove ou Wedge, para alcançar um *green* muito difícil.

CLUB CAMPESTRE DE LIVRAMENTO

Dois clubes de golf antecederam o Campestre de Livramento na prática do jogo de golf no Brasil. São o São Paulo Golf Club e o Santos Golf Club. O primeiro fundado em 1901 e o segundo em 1915. Na verdade, historicamente, o Campestre, com sua estrutura social e novos parques esportivos, foi fundado em 1958, mas o seu aprazível e acidentado campo de golf, que na realidade motivou o surgimento do Campestre, já existia, em plena atividade esportiva, desde 1918.

Acontece que em 1917, durante a 1.ª guerra mundial, instalou-se em Livramento, o Frigorífico Armour do Brasil, que tinha a finalidade de fabricar alimentos para os soldados aliados, que combatiam na Europa. Mas como não só de trabalho vive o homem, os dirigentes da companhia, chefiados por Mr. Thomaz Parker, todos eles possuídos da "doce loucura" do golf, tiveram a sadia inspiração de trazer da Argentina um jovem espanhol profissional de golf, chamado José Maria Gonzalez, para que em terreno que circundava o belo edifício do club social da companhia implantasse um campo de golf. José Maria não só fez o campo, como criou condições para que no decorrer dos anos, pudesse também ser melhorado o padrão do jogo no centro do Brasil — São Paulo e Rio.

Através dos anos, bons jogadores passaram pelos *links* do Campestre, tais como: J. Sidney MacBay, Mario Braga e outros. Todos podem ser representados pela figura ímpar de Richard H. Stoutt, o espírito incentivador do golf no Rio Grande do Sul, gentleman e desportista inigualável, figura que sempre esteve presente nas pequenas e grandes festas do golf sul riograndense.

O Club passou a realizar desde 1972. o I Torneio Internacional de Golf com a participação de clubes congêneres da Argentina, Uruguai e Paraguai, além de brasileiros, o que vem se repetindo todos os anos.

O campo de golf do Livramento tem topografia bastante ondulada e um lindo arvoredo onde predominam os ypês roxo e amarelo, plátamos e pinus. Com buracos de bom conceito técnico, como por exemplo os n°s. 4, 9 e 16, e temperatura amena, com média entre 18 e 20 graus, é muito agradável de se jogar.

CLUB CAMPESTRE DE PELOTAS

O Club Campestre de Pelotas possui um campo de golf com 9 buracos com saidas diferentes para a segunda volta, e sem dúvida constitui um dos melhores do interior do Rio Grande do Sul. Construido pelo Professor Pablo Miguel, que diga-se de passagem fez um trabalho muito bom, com alguns buracos muito interessantes. Foi recentemente reformado pelo construtor Alberto Serra que assim melhorou um trabalho já muito bom.

Foram reconstruidos os *greens* números 2, 3, 4, 6, e 8 que agora apresentam um estilo mais moderno.

O Club Campestre tem no buraco número dois um par 3 de 197 jardas muito dificil, pois requer um ferro longo, jogado com muita precisão para se entrar no *green*. Outro buraco interessante é o n.º 3 um par 5 de 497 jardas.

O buraco n.º 9, um longo par 4 de 398 jardas, onde é necessário colocar bem a 1.ª tacada, para depois com um ferro médio, tentar o *green* com a segunda.

COUNTRY CLUB
DA CIDADE'DO RIO GRANDE

Fundado em 19 de fevereiro de 1960, o Country Club da Cidade do Rio Grande teve como seus construtores os abnegados golfistas Luis Alberto Dias, Jessiel Magalhães, Ecy Santos e Paulo Schmidt, começou sómente com 5 buracos, mas hoje já possui 9.

Com uma topografia muito particular, por ser um campo todo ele plano e estar á apenas oito kilometros da praia do Cassino (a maior do mundo em extensão) tem se tornado ao longo do tempo um local de grandes competições a nível estadual.

Além do golf, o club possui 8 quadras de tenis, volei, bicicross, piscinas, e uma muito bonita sede social.

ROSÁRIO GOLF CLUB

BURACO Nº 3 — PAR 3: Um lindo buraco com 168 jardas. Muito difícil devido ao arvoredo muito perto do green.

O golf em Rosário do Sul surgiu em 1947, com o nome de Swift Golf e Country Club, propriedade da Cia. Swift do Brasil que operava nesta cidade. Em meados de 1960 o atual campo foi reformado com o auxílio do profissional José Maria Gonzalez Filho. Em 1972 com a extinção do Swift Golf & Country Club foi fundado o atual Rosário Golf Club com a participação de diversos rosarienses interessados na continuação da prática de golf.

Entre os melhores jogadores que tiveram sua iniciação neste club destacamos os Srs. Luis Alberto Arrieta e Douglas I. Mc FARLANE.

O club possui atualmente 100 associados e é ligeiramente ondulado, e está numa altitude de 132 metros acima do nível do mar.

Quase todos os *fairways* são delineados por lindas árvores nobres, prevalecendo, os pinus, angico, platamos, cedros, jacarandá etc.

Ventos fracos e moderados são os normais, predominando no inverno o minuano e com uma temperatura média de 18 a 20 graus.

O campo é de tamanho curto e não possui nenhum par 5.

GRAMADO GOLF CLUB

O Gramado Golf Club fica a 7 Km da cidade de Gramado.

O Lago Negro, com suas árvores importadas da Alemanha, as hortências e a arquitetura que imita a da Baviera, são as marcas registradas de Gramado.

À 138 Km de Porto Alegre, com ótimo acesso pela BR-116 a cidade é muito bem servida de hotéis: há mais de quarenta de quatro estrelas.

O Club de Golf, inaugurado em 71, surgiu do esforço de alguns afixionados liderados por Erico Rosenfeld.

O Campo é levemente ondulado, possuindo 9 buracos com duas saídas de cada um, para cavalheiros. Estão em implantação as saidas para damas. Os *greens* são de tamanho médio.

As temperaturas de Gramado variam muito. No verão chega a 36.°C e no inverno o termômetro registra até alguns graus negativos. Como o campo de golf tem ótima drenagem natural, nada impede que seja praticado este esporte, mesmo com chuva.

Os ventos predominantes sopram do Norte e do Noroeste, de fracos a moderados. Entre as aves que se vêm no campo temos os gaviões, quero-queros e socós.

Parte do *fairway* do buraco 1, par 4, 339 jardas
Part of hole 1's fairway, par 4, 339 yards

134

Green do buraco número 3, 323 jardas, par 4
Hole number 3 green, *323 yards, par 4*

THE ORIGIN OF GOLF

The English word golf comes from the German "kolbe", which means club. Considered a sport of elite by most people, it has its origin rather conjectured, the most probable being its creation by the Scots, who already played it around the year 1400. In 1457, the Scottish Parliament, by order of King James II of Scotland, prohibited the practice of golf for considering it an entertainment which damaged the interests of the country.

Some historians try to credit the creation of this sport to the English, stating that an uncultured people, such as the Scots were at that time, could not have created such an ingenious game. There are other origins: an ancient Roman game called "paganica" — the game of the peasants — was practiced in the XVII, XVIII and beginning of the XIX centuries with a ball made of fur or leather full of feathers and a curved stick, reminding golf quite a lot. Nevertheless, this does not prove anything, since the majority of the sports of that period used curved clubs.

There are historians who believe that golf came from the "jeu de mail", an ancient French game which resembles golf mainly in the rules, but which is practiced in closed spaces and sometimes in courts. Other possible origins of golf are the Flemish "chole" and the Dutch "kolven", though neither is very probable, since "chole", in spite of being played in the open field, uses a ball for both teams, a thing not allowed in golf. According to old documents, any golfer who plays with the opponent's ball will be penalized.

In certain works of great painters there are similarities between "kolven", or more properly, "het kolven", and the style of golf. In a museum in Holland, there is a painting by Rembrandt, dated 1654, which is recognized among the collectors as "The Golf Player", éven though the original title is already subject to argument.

"Kolven" was played in a "kolf-bann", a court with walls, almost always paved, and which generally belonged to an inn, attracting many guests. The club used was made of wood with a flat face covered with metal, called "kolf". The ball, called "kolven", was the size of a grapefruit and weighed more than one kilo. However, the fundamental difference between golf and "het-kolven" is in the size of the court; in the latter it is never larger than 50 meters, while a golf course may get to 150 acres. At any rate, in the Middle Ages, the arable lands were most precious in Holland and would hardly be wasted in such a large area for the building of a golf course.

All of it reinforces the thesis that the Scots were the first to unite all the characteristics of the present golf in a single sport. In old Scotland the golf courses formed naturally, their grass was fertilized by birds and animals of the region, and trimmed by rabbits, hares and sheep. In the country, on the coast, ther were sand bunkers formed by the tides, where the animals deepened shelters to have protection against the rain and the storms. For sure it was in one of these courses formed by nature itself that golf was played for the first time.

In the XVIII century, the golf courses, formed naturally, had no limitations. The rules were made and unmade by the Honourable Company of Edinburgh Golfers (HCEG), there were no defined greens, neither fairways, nor tees. All the field was considered green, giving origin to the words green keeper and green committee. A turn was completed with one or more rounds in the field, with no regard to the number of holes.

Considering that there were no rules determining the correct way to play golf, on March 17, 1744, the Council of the city of Edinburgh held a meeting and decided to donate a silver club to be disputed annually in the Linke of Leith. The winner would be named "Capitain fo Golf" and would have the last word in all the discussions referring to the game.

(Research: Caddie — Revista Brasileira de Golfe, n.º 2; Almanaque dos Esportes — Sergio Noronha; Esportes Diversos — I. A. Correia)

THE TECHNIQUE OF GOLF

In all aspects of life, everybody has a model, something that marks its presence in such a way and causes such a strong impression that it becomes the sole objective, the perfect example.

In sports in general, and in golf, in particular, nothing is truer than this. The golf players always have a model, another golf player, better than them, of whom there is an attempt to copy the characteristics.

But golf is a different unique sport, practiced individually, where there is no other objective besides the one of getting the ball into the hole with the fewest possible strokes. In this sport it is fully valid to ask the question: How many strokes? The way they have been played does not really matter.

The swing, except for some fundamental rules (such as in the green, where the putts must be played with the feet in a different line from that of the hole), is completely free. That is, there is no required style nor is a person evaluated by the beauty of the style. The one who wins is the one who plays with less strokes.

It is obvious that a player with a natural style (although not beautiful) is going to play well for a longer time than another player whose style is unnatural. But all of them, with a little practice, can make natural the movements they are not used to.

Since golf is an individual sport and since the players have different physical (and also psychological) characteristics, it is also to be expected that the swings are different. No one has to imitate the swings of others to play well. What is necessary, fundamental, is that the player have the correct principles. When this happens, the club is going to hit the ball well, notwithstanding the way it goes to reach the point of impact. The important thing is that it got there with the correct speed and inclination.

137

An example: two players of different heights can not, obviously, have identical swings. It is obvious that the shorter player will have a stressed tendency to do a swing plane of a lower angle than that of the taller player.

Unless either of them has a physical problem or any a muscular abnormality, both are going to play correct strokes, making the club travel in different ways. However, it is the result that matters, and it can be identical, only with a stronger tendency for the taller player to make the ball go higher. In spite of the taller player's arch being larger with a shorter swing, even the distance problem can be overcome by the shorter player, since he has more base to play a little longer swing.

Therefore, both can play the same strokes — correctly — with different swings. The single concern must be that with the basic principles, which have already been defined several times, some including more or less aspects, although they can be summarized in five main points:

1 — the grip
2 — the stance
3 — the backswing
4 — the downswing and the impact
5 — the follow-through.

Since they are static, the grip and the stance have some basic rules which must be followed by everybody. In the grip the objective is to hold the club firmly for it not to change position between the hands during the swing.

The left hand should not be excessively turned to the right, and the right hant should hold the club with the fingers and not with the palm. With this, and without exerting too much strength, the golfer can make the hands work together, and not one against the other, during the swing.

The stance has the objective of forming a solid base on which to develop the swing. The weight equally divided between both feet, the head comfortably placed in order not to obstruct the route of the shoulders (what will happen in case the head is excessively low), the legs slightly bent for better balance and the stance is ready.

In relation to the position of the ball, it varies from player to player — depending on where the arch of the swing reaches its lowest point and where the head of the club has greater speed — but as a general rule, for the longer, as well as for the higher strokes, the ball must be a little ahead, that is, a little more in the direction of the left foot.

With the correct grip and stance — that is, basically correct, with the right fundamentals for one's body — the player is ready to play an equally correct swing, to the end that he will play a sound precise stroke, without having to copy the swing of any other player, only the fundamentals.

Therefore, the backswing does not have to be on the inside or on the outside, provided that this inside or outside are not exaggerated. The objective is to take the club the farthest possible from the ball, without

losing the palance nor the stability, in order to be able to develop the maximum speed up to the ball.

At the top of the backswing, whatever the club route may be — and it is obvious that if we pull it too much on the outside, too much on the inside, or abruptly, it will be difficult to have a natural movement, which is our objective — the player must be balanced. This is fundamental. Most players tend to make too large a swing, where they can no longer keep their balance, or, afraid of this, they do it very short, thus losing all the possibilities of a strong stroke.

Therefore, each person has a limit to where one can go with the backswing, which is normally up to the place where one can keep the balance, or a little before (as a safety factor in an engineering work). The head should not move very much, in order to keep the axis around which the swing is played and so avoid any lateral movement backwards (the sway, which will cause the loss of the spring effect of the back and leg muscles), preventing the rotation of the shoulders.

The sholders must rotate about 90 degrees, against approximately 60 degrees of the waist, to produce tension in the back muscles, what will increase the strength (that is, the speed) of the club downwards. A good part of the weitght, equally divided in the stance, should come to the right leg, thus allowing more weight to be put on the ball.

In relation to the downswing and the impact it is easy: if the backswing is correct, the player has all the weapons to lower the club adequately, producing the maximum speed without losing the control of the club head.

At first, the hips, thousandths of a second afterwards, the arms, lower towards the ball. Again the route of the club is not that important. It is only necessary to pay attention to two things: not try to beat the ball too early (break the wrists too early) or too late (the contrary), neither move the head excessively, taking the swing out of its axis and making it impossible for the club to reach the ball with accuracy.

All the mistakes that can be made cause a single effect: the club does not reach the ball with its face ligned up or, if it does so, it does not do it with enough speed. However, if these two things are correct, nothing else matters since the stroke is going to be good and the ball will certainly go wherever desired.

After beating the ball, theoretically nothing else matters. It has been done what was necessary to do. But, in practice, if we think so, we will not be able to play a perfect stroke.

The objective is to verify, after the stroke, if the balance has been kept and, mainly, if the weight has been almost totally transferred to the left leg and foot. The player should be able to keep his balance raising the right foot from the ground. The hands should remain high at the end, (even though this is not a requirement, but simply a consequence) and the grip — this is necessary — must continue being identical to the beginning of the stroke, without the least alteration.

Follow these basic principles, adapting them to your build and to your body, without worrying about imitating any a style, only making things happen naturally, without basic mistakes, and half the way for your good formation as a golfer has been gone through.

What is important is the natural factor, and sometimes, to be natural is not that natural. The basic principles have to be obeyed, even if it is necessary to train some hours with an instructor to lose old habits — which seemed natural — incorporating to your swing the fundamentals which will make you able to play a sound accurate stroke.

GAVEA GOLF AND COUNTRY CLUB

With an exceptional location, the course of the Gavea Golf and Country Club is known as the most beautiful in Brasil. Along its fairways, the golf player breathes either the pure mountain air or the agreeable breeze from the sea, participating in one of the most beautiful sceneries of the world.

The Gavea Golf and Country Club is located between the Pedra da Gavea, the highest point of the city of Rio de Janeiro, almost 900 meters high, and the Tijuca Forest, facing São Conrado beach.

Although short, a little less than 6000 yards, par 68, the course is not as easy as it looks, demanding from the player the necessary accuracy in all the strokes. Up to now, the best result was of 265 strokes in 72 holes, that is 7 below the par, by the American pro Hale Irwin, during the Brazil Open done in 1982.

Some of the best players in the world, such as Bobby Jones, F. R. Stranahan, Martin Pose, Billy Casper, Gene Litler, George Archer, Roberto de Vicenzo, Peter Thompson, Manuel Piñero, Sam Snead, Gary Player, Bernard Langer, Peter Allis, Bob Toski, Bernard Hunt, Dave Thomas, Ramon Sota, Arnold Palmer, Curtis Strange, Hale Irwin and many others, have already marked their presences in the Gavea Golf links.

Worth a special mention are the 59 strokes gotten by Gary Player in 1972, during the Brazil Open.

Founded in 1921 and named ''Rio de Janeiro Golf Club'', it was renamed ''Gavea Golf and Country Club'' in a meeting of its Council in May 1926. William McGregor led a group of Scots, English, Americans and Brazilians with the objective of building a golf course. For 44, thousand pound sterlings they bought an old coffee plantation including the Casa Grande, the owner's house in Brazilian Colonial style, which is admired by everybody up to the present.

From its foundation, many stories can be told, even the one of the existence of a diamond mine, this is 1800, which would be right behind the present green of the 7.

The first great step happened when they contracted a young Scotman, Arthur Morgan Davidson, to build a golf course, his first professional work. Only 20 years old, Davidson executed an exceptional work,

worth of a great architect. It is worth mentioning that this course got to the condition of one of the fifty best golf courses of the world, according to a research done by the American magazine ''Golf Digest''. Nevertheless, only in 1926 the first nine holes for the game were open. However, due to narrow fairways, small tough greens and impenetrable roughs, it was easy to do a 3 or a 13. From then on, the course has been improved and at present it is almost impecable, with Tyfton 328 bermuda grass in the greens, Tyfton 328 and 419 bermuda grass in the fairways and automatic irrigation all over the field. Besides golf, polo was played intensely in our club. It began in 1927 and was efficiently headed by Sir Walter Prettyman, but was interrupted in 1974 due to the cuts caused by the passage of the Rio-Santos highway.

Among the famous personalities who visited the Gavea we can mention the Prince of Wales, whe later became the King of England, King Leopold of Belgium, Prince Bertil of Sweden, President Scheller of Germany, General Dwight Eisenhower, President Getulio Vargas, General Eurico Gaspar Dutra, President Gerald Ford, Secretary George Schultz.

In relation to players who made the history of the Club, playing a superior game, we can mention: A. C. Budd, S.G. Marvin, W. E. MacGregor, W. P. Walter, C. Ratto, Bob Kan, Walter Fitch, Robert Falkenburg, H. B. Marvin, Mario Gonzalez Filho, José Rafael Gonzalez, Jaime Gonzalez, L. F. Smith, Jenings Hoffenberg, C. H. Moreira Filho, Lauro Alberto de Luca, Rodrigo Fiães, Marcelo Stallone, Jean Paul Vantilburg.

As for the women, we can mention Grace Oakley, Andrée Visinand, Alice Machado, Evelyn Brand, Terezinha Camargo, Louise Brown, Pilar Gonzalez, Sarita Rabby, Cecilia Grimaud, Isabel Dias Lopes.

The first nine holes are in the mountainous part of the field, with holes that are not very long, but terribly difficult. Any inattention and the score is fatally raised. This part of the links counts with exceptionally beautiful holes, such as n.° 4, whose view of the sea is impressive. Holes 5, 6 and 8 are also beautiful and difficult.

The second turn, slightly undulated, is developed by the sea, with holes of the highest category, such as n.° 10 when played against the wind, or 13, or 14, or 16, or 18, a par 4, very tight and difficult to finish the game.

When the field is in good conditions, and it is almost always so, it is comforting to play a game of 18 holes.

COMMENTS ON THE HOLES

Hole 1 — 308 yards — par 4

An excellent hole to open the game. Short but demanding. A slight dogleg to the right, where there are several trees, and a river along all the left side, make it necessary a very well placed drive. The second stroke also requires a lot of accuracy because, although the green is large, the bunker on the right and the out of bounds at the back are part of the game.

Hole 2 — 208 yards — par 3

One of the most difficult of the field. The wind, almost always contrariwise, and mainly the out of bounds on the left, make the first stroke extremely delicate, moreover considering that the green is flat, not facilitating the approach.

Hole 3 — 498 yards — par 5

An easy par 5, since it is short and certainly a definite possibility of a birdie for the golfers who can shorten their way in this dogleg to the right, striking above the hill. The second stroke, however, is not always easy, since the green is small, very treacherous downwards, and a hook, even a light one, can leave the ball in an almost impossible position for the approach.

Hole 4 — 178 yards — par 3

Although not being very long, this is a hole upwards, almost always requiring a long iron. The tee hole can not be seen, making it difficult the perfect evaluation of the position of the flag. From the green the view is one of the most beautiful of the whole course.

Hole 5 — 387 yards — par 4

One of the most beautiful and best of the links. The first stroke, depending on the wind and on the position of the tee, must be with a wood 3 or a long iron, to place the ball on the plateau by the river, from where it is necessary an accurate stroke to a large but most difficult green, extremely fast downwards or for lateral putts.

Hole 6 — 165 yards — par 3

Maybe the most talked of in the field. It is not long, though the dominating wing is contrariwise, but it is absolutely indispensable to play a straight stroke from the tee. The slightest mistake can cause a double bogey or even a higher penalty, since the ball goes down the hill, on whose top the green is, making the approach practically impossible.

Hole 7 — 373 yards — par 4

Another difficult hole. Since it is upwards, it throws much farther than its 373 yards. The green, on the height, does not allow a perfect view of the hole position. An out of bounds along all its left side and an elevation with several bunkers and some trees on the right side make the drive very difficult.

Hole 8 — 199 yards — par 3

From the tee you get the most beautiful sight of the field, since it is its highest point. This fact, however, makes the hole very dangerous when the wind is blowing, since on tournament days, the flag, is almost always placed in front of the green, near the lake, on the lookout for any a mistake by the player. Since it is downwards, almost never — unless the wind is very strong — it is necessary more than a medium iron to reach the green.

Hole 9 — 481 yards __ par 5

It is doubtless, the easiest of the course. A high tee and a hole going downwards all the time allow several birdies, since even the players who do not hit strongly can place the ball with two good strokes near or even in the green. Those who hit farther will certainly play the second stroke with a long iron. The drive area is wide and presents no problems.

Hole 10 — 142 yards — par 3

It is the shortest hole of the course and certainly the easiest of par 3, unless the wind is very strong, when its 142 yards sometimes require a long iron. The greatest difficulty on days of normal weather conditions is the green, which is very long and can cause a variation of up to two clubs depending on the position of the flag.

Hole 11 — 275 yards — par 4

Together with hole 9 it is one of the easiest for the birdie. The green can even be reached with the drive, though many will prefer to get out of the tee with an iron, since the fairway, in the zone closest to the green, is very narrow, with palm trees on both sides, penalizing any a mistake.

Hole 12 — 346 yards — par 4

It is the last of the easy holes of the course. A wide undulated fairway and a very large green receiving the second stroke very well make this hole a possible birdie, since most players are playing with an iron 8, 9 or even pitching wedge for the approach.

Hole 13 — 435 yards — par 4

After some easy holes, here is the beginning of the greatest difficulties of the second turn, which many times make the end of the tournaments played in the Gavea very dramatic. Since the wind is a prevailing factor in all the holes near the beach, it may require a long iron or even a wood for the second stroke in a long green surrounded by bunkers and a lake. The drive area is wide up to the 230, 240 yards, then narrowing, with bunkers and trees on both sides.

Hole 14 — 400 yards — par 4

A dogleg to the right and a fairway where the ball does not roll easily require a long well-placed drive for those who intend a second shot towards the flag. The green is large but its entrance is narrow. Since the prevailing wind is contrariwise, it is a hole which almost always seems longer that its 400 yards.

Hole 15 — 381 yards — par 4

In the return by the mountain, the easiest hole of the end of the links. But a treacherous hole, since the many trees make a well-placed drive a requirent. Moreover, the green is very large and sometimes, the out of bounds at the back areimpressive.

Hole 16 — 235 yards — par 3

It is doubtless the most difficult birdie of the course, though the topography of the field splays near the green, making some balls, not totally straight, reach the objective. But it is always a very long demanding stroke, for a very fast green, full of undulations.

Hole 17 — 375 yards — par 4

Another difficult hole. The drive is downwards but the second shot is towards a high green and therefore totally blind. The first shot should not go to the left since the trees would make the green unapproachable. This is not one of the most difficult for the putt, but, since it is narrow and well guarded by bunkers, it is very demanding for an approach after a second uncertain stroke.

Hole 18 — 410 yards — par 4

An excellent final hole. A slight dogleg to the leftthe single one of the links — which becomes even more difficult for the presence of a river along all the left side of the faiway, The trees on the right make the positioning of the drive delicate. The hole downwards helps, since it becomes shorter, but the green, in the shape of a kidney with a fall at the end, besides the bunker guarding all its left side, is not one of the easiest, either for the second shot or for the decisive putt.

ITANHANGÁ GOLF CLUB

The golf course of the Itanhangá, the first in Brasil to have 27 holes, is doubtless one of the good courses we have.

The last nine holes have been built for the beginners to start learning the game in them.

It is worth mentioning that the Men's World Tournament was to be played in this course. However, weather factors prevented its happening.

Several international competitions, such as the Copa Los Andes (South American Tournament by teams), the Open and Amateurs' of Brasil, have bem done in its links with absolute success.

The main characteristic of the Itanhangá is its rather flatness, though quite difficult, since it is very long and can easily reach 7000 yards in length.

There are fantastic holes in the Itanhangá, such as hole 2, where it is necessary a very straight first stroke, and then, with a medium iron, to reach a rather large green where it is not easy to place the ball near the flag.

Next comes hole 3 where the out of bounds on the right are very dangerous, making it easy to go out.

Hole 4 is a long par 3 and also very demanding.

Hole 5 is a beautiful dogleg where the first stroke is really important. A lake on the left and a trench on the right complicate the situation of any a player, mainly in the green with the second stroke.

Number six, a par 3 of 187 yards, is also very good, since any deviation can be fatal.

Numbers 7, 8 and 9 are three par 4 of average distance where the player may also get into trouble.

The second turn is also rather interesting, being worth mentioning that holes 12, 16 and 18 are the best.

Hole 12, with a river passing in front of the green, makes the second stroke very difficult, mainly when the flag is below.

Hole 16 is the longest of all: a double dogleg where three perfect strokes are necessary to reach the green.

Now, there comes number 18, a hole designed to be the final of a world tournament: the Einsenhower Cup. Exceptionally difficult, with exceedingly severe penalties, it is the most difficult of all the holes in Brasil.

PETROPOLIS COUNTRY CLUB

Up on the mountains, on a plateau stretching for many kilometers, 838 meters above sea level, it has been built one of the most beautiful cities of Brasil, Petrópolis, at present with three thousand inhabitants who have the privilege of living in a place with the seventh best climate of the world. Petrópolis is a historic city which gave lodging to many famous inhabitants, such as the Emperor of Brasil, D. Pedro II, and all his family, and Santos Dumont, the father of aviation. Up to now some descendants of the Imperial family still live there.

Approximately 25 km from downtown Petropolis, in the charming district of Nogueira, it was founded the Petropolis Country Club in May 1938, with the golf course designed and build by Antonio F. Bennett, the first professional of the club. The links, implanted in a beautiful valley completely surrounded by mountains, offer a unique sight to those who go there to enjoy its 6102 yards, the exact distance of the 9 holes with double tees, par 70, men and women. The Petropolis Country Club is 75 km away from Rio, about 1 hour by car.

The course of the Petropolis Country Club, located in a very beautiful valley, always very well kept, full of flowers and with excellent conditions for the game, has several holes where a lot of accuracy and technique are necessary to reach a good result.

Number 1, a par 4 of 380 yards, is very good to begin a game. Seemingly easy, it requires a flawless second stroke by the right side of the green. Lake on the left and bunker of the right and behind the green.

Number 4, a par 4 of 420 yards, has all the trees on the left side and the lake on the right side as its difficult points. It has a new green, better than the old one.

Number 5, a very difficult par 3, measures 190 yards. It has a brook in the green, bunkers on both sides and a green which receives the ball almost diagonally.

Numbers 6 and 8 are two par 4, not very long, though not allowing to miss the green by the right side.

Number 9, a par 5 of 475 yards, all of it upwards, requires two perfect strokes to enter the green with the second stroke. A very well defended green on both sides.

Holes 10 and 11 are very difficult, mainly number 11, of 235 yards, a very long par 3, requiring a wood 3 to reach the green when the wind is contrariwise. The lake on the left side is simply terrifying.

Number 13 when played in the second turn is rather easier than number four. Easy but very interesting.

Number 15, a par 5 of 471 yards which can be easily reached with the second stroke, has its decisive factor in not missing the green by the right side.

Number 16, a par 3 of 216 yards, very difficult and very long, has its greater difficulty in a very tall tree, slightly to the right of the center of the shooting line. Large green with many falls.

Hole number 17, a par 5 of 479 yards, has a very difficult green to reach with the second stroke, since it is very small, surrounded by large bunkers and a brook.

TERESOPOLIS GOLF CLUB

The Teresopolis Golf Club was founded on December 27 of 1934, in lands donated by Mr. Carlos Guinle.

Its golf course has 9 holes which were built initially from a project of the American architect Robert Trent Jones. At present, after the works done for the regularization of the Paquequer River, which follows all its extension in most of its fairways, with an average width of 28 meters, it became a very challenging difficult course for the good player. Its outline has been changed a little. The introduction of 9 tees more has made golf in this field rather more interesting.

It is located in the city of Teresópolis, high on top of the Serra dos Orgãos, at approximately 1000 meters above sea level, with agreeable weather during summer and cold in winter. Being a mountain club, Teresópolis Golf Club is used more during the school vacations which coincide with our summer in the months of December, January, February and March.

The Club also has other leisure options, such as its two swimming pools, two volleyball courts, three tennis courts and a soccer field. It further has one of the best horse-riding centers of the State of Rio de Janeiro, with 42 stables and 2 arenas, one covered with sand and the other with grass, for typical contests of international level.

GOLF HOTEL DO FRADE

The golf course of the Frade is part of one of the most complete Brazilian resorts. It is at km 123 of the Rio-Santos Road, 2 hours from Rio.

With 18 holes and 6400 yards of length, it is undoubtedly one of the best of Brasil.

The course was projected by the famous English builders David Thomas and Peter Alliss and built by the Argentine professional Emilio Serra who undoubtedly did a work of the highest category, making it

really difficult and very competitive.

The course is crossed by rivers of clear waters coming from the huge forest reserve surrounding the course.

As a leisure understructure, there are the renting of horses, stalls, speed-boats, hobbie-cats, scuba diving, ski, tennis, a hotel, restaurants, a French bistrot and "saveiros" (fishing boats) to go round the bay of Angra dos Reis (Kings' Bay) with almost 300 islands.

Aiming at the development of the sport, it offers the golfers from all the country and abroad the use of its links free of the charges of the private clubs.

It is located in Angra dos Reis, between Rio and São Paulo, the main cities of the country. A bay of calm transparent hot waters, it has the spur of Serra do Mar as a frame and the Pico do Frade (1600 m high) as reference.

EDEN COUNTRY DO BRASIL

The golf course of the Eden Country do Brasil was buit in Jaconé, in the city of Maricá, 45 km from downtown Rio de Janeiro, at the beach of the same name, with the mountain range of Mato Grosso as background. It was projected by the Portuguese architect Francisco Nobre Guedes in 1976 and built by Luis Couto Alves during the year 1981. It is a 9-hole course, with double tees, comprising 6120 yards in two turns. It is totally irrigated and is located in the zone of lowest rainfall of Rio de Janeiro, favoring the practice of the sport during the whole year. In the future, 9 other holes will be built.

Independent from the golf course, the club has a riding center where the most beautiful horses of Brazil may de found.

In relation to the golf course, it is slightly undulated and its first hole is a beautiful par 5 of 520 yards where you need two perfect strokes to cross the lake in front of the green. On the contrary, you throw before and reach the green with the third stroke. The green is not very large and very well defended by two bunkers.

Hole 2 measures 408 yards. To reach the fairway it is necessary to cross the lake which measures 170 yards from the tee. It is a slight dogleg with an enormous bunker on the left side at the length of 220 yards. The green is also very well defended by bunkers and rather undulated.

The photo shown here is of hole 5, a par 3 of 175 yards, where it is necessary an iron 4 or 5 of absolute accuracy to reach the green, which is very well protected by bunkers but is almost always played with the wind contrariwise.

SÃO PAULO GOLF CLUB

Golf was played for the first time in Brasil in the beginning of the century, by English and Scottish engineers who worked at the São Paulo

Railway Company, which at that period was responsible for the transportation of almost all the exportable coffee, from São Paulo to the harbour of Santos. The field was near the main station of the railway. The fast expansion of the city, however, soon made it necessary to move it to an area nearby, which up to now bears the name of Morro dos Ingleses (Hill of the Englishmen). In 1918 a new move had to be made, this time to Jabaquara, temporarily, while it was planned the purchase of an adequate piece of land, far from the city and offering the ideal topographic conditions for the construction of a permanent 18-hole course with a modern main building. Soon afterwards it was bought an appropriate area in Santo Amaro, a suburb of São Paulo, 14 km from downtown. The new club received the name of São Paulo Golf Club and its by-laws are dated from 1914. The clubhouse was finished in 1916.

Since then, the 1.º Campeonato Aberto Brasileiro, the lst Brasil Open, and many other important tournaments have been done at the São Paulo Golf Club. Many international players showed their skill in Santo Amaro. Among many famous players, it is worth mentioning the names of Art Wall, Sam Snead. Billy Maxwell, Frank Stranahan, Jim Turnesa, Ted Kroll, Walter Burkemo, Bob Toski, Mike Souchak, Billy Casper, Rex Bauter, Bert Greene, Bob Stanton, Dai Rees, David Thomas, Bernard Hunt, Peter Allis, Kel Nagle, Jay Hebert, Robert de Vicenzo.

José Maria Gonzalez was head pro from 1924 to 1971, the year he died.

Many improvements have been made in the outline of the fairways in the greens during all these years. The construction of the new clubhouse in 1965, with all the modern comfort and a swimming pool, made it one of the most agreeable charming clubs of Brasil.

The course of the São Paulo Golf Club is one of the most agreeable to play because it is slightly undulated and has holes of a very good technical conception, a very beautiful grove of trees, always full of flowers and grass of excellent quality in all its fairways, greens and tees.

All the holes are good, althouth some are outstanding, such as for example, hole 3, a long par 5 of yards, where three very good strokes are necessary to reach the green.

Another interesting one is hole 5, a par 4 of yards, also long butslightly downwards, where the placing of the driver is very important since the out of bounds at the left, the bunker and the trees on the right penalize any a stroke which is not well played with an iron 5 or 6. With a second stroke the green is reached.

Another difficult hole is number 6, a par 4 of yards, really long, where it is always necessary to use a long iron or even a wood 3 or 4, to reach the green in the second stroke.

Hole 7 follows, an easy par 3 with yards, a very large green, well surrounded by bunkers.

Number 8, a long hole, where the greatest difficulty is the lake on the left side and the bunkers on the right side.

Number 9, a par 3 of yards, where a lake from the tee to the green and a very difficult green to putt are the greatest difficulties.

Another interesting one is hole 11, a par 4 of 349 yards, very beautiful, with a bunker on the left side and a lake on the right, which make it an extremely adjusted hole.

Number 13, another long par 5 of 548 yards, is very interesting since the two first strokes have to be very accurate not to cause any a difficulty.

The following 14 and 15 are two of the most difficult of the links since they are very long and very well defended by bunkers.

Number 17, a par 5 with 511 yards, where it is relatively easy to get a birdie, but which requires a perfect second stroke to reach a very well defended green.

To finish, number 18, a par 4 of 390 yards, very beautiful, with the clubhouse at the back, very interesting to observe during the final strokes of tournaments.

SÃO FERNANDO GOLF CLUB

At km 28 of Raposo Tavares road, there is one of the most beautiful and peaceful clubs of the State of São Paulo. With 30 years of existence, São Fernando Golf Club has already reached international fame, being chosen among other nine courses of the world as the headquarter of the Shell's Wonderful World of Golf of 1971.

Occupying twenty alqueires (484 ares) of the real estate called Vila São Fernando, it attracts the admiration of many golf players due to its technical excellencies and the location, since it is close to the city but already free of urban noises. It is also admired by the balance of its 18 holes, which alternate the difficulties in a harmonious way.

Besides the golf course, the members can also enjoy the charming clubhouse, with a restaurant and a room for games. For the children there is an enormous leisure building equipped with a swimming pool, a playground and a cafeteria.

The golf course, with characteristics for great tournaments, was open in 1954 and is today one of the most interesting of Brasil. With 6551 yards and a very carefully designed outline of the fairways, it offers the golfers excellent opportunities to improve their skill.

São Fernando Golf Club is doubtlessly one of the best and most difficult golf courses of Brasil, with holes of the highest technique.

The main factor to achieve a good result is the exact placing of the first stroke in almost all the holes, since its fairways are narrow and exceptionally well outlined by a very beautiful grove of trees (Elliot).

Hole 1, an easy par 4 of 370 yards, is very comfortable to begin the game.

Hole 2, a par 4 of 394 yards, is difficult, since there are the lake on the left and the river crossing its fairways, besides a very well defended green.

Number 3, of 423 yards, is a long par 4 slightly upwards. The lake on the left, the brook on the right and a very difficult green to play are its strong characteristics.

Holes 7, 8 and 9 are an extremely difficult sequence where the accuracy is of the greatest importance, mainly for hole 9, a very long par 4, doubtlessly one of the best of Brasil, where it is necessary a long iron or even a wood 3 or 4 to reach a most difficult green, since the great bunker on the left side is most important. Extremely deep bunker.

The second turn begins with two par 4, respectively of 380 yards, not very long, though very difficult, since the placing of the first stroke is of vital importance. The green of hole is simply devilish.

Hole n.º 12, a par 3 of 158 yards, indeed adorned the second turn. It is very beautiful.

Number 13, a par 5 of 535 yards, where the main concerns are not to miss the fairway by the right side and a very difficult green to play.

Numbers 14 and 15, two very long and difficult par 4, give the second turn a very special characteristic. It is always necessary to place the right stroke very precisely, since there are narrow fairways, lakes, brooks, many trees and dangerous bunkers.

Hole n.º 16, a new par 3 of 162 yards with a lake in front of it and at its left, and a green very well defended by bunkers.

Number 17, a par 5 of 590 yards, has as its main characteristic the fact of being the longest in the course, counting further with a great lake at the left and the Cotia river at the right.

To finish, hole 18, a short par 4 of 301 yards, seemingly easy, though very complicated, since one can not see where the hole is. Very agreeable to see during tournaments since the sight is very beautiful.

CLUB DE CAMPO DE SÃO PAULO

Founded in 1937, the Club de Campo de São Paulo, with 1 200 000 m2, has been little structured to offer several options of sports to its members.

There appeared the Nautical, Riding and Tennis Departments.

Golf took a little longer. Only in 1958 could the Club have its first nine holes, in whose project there was the collaboration of José Maria Gonzalez and Gastão Almeida Silva.

In 1964, the other nine holes were completed and the department headquarters were inaugurated.

Under the orientation of competent professionals, the fairways have undergone continuous improvements, a reason why the Club de Campo de São Paulo is presently qualified for tournaments of international level.

Besides the technical aspect, it is worth mentioning that the topography, framed by the waters of the Guarapiranga Reservoir, makes the golf course of the C.C.S.P. one of the most beautiful of São Paulo.

P. L. GOLF CLUB

Until 1968, the Japanese settled in Brasil were faced with a serious difficulty when they wanted to play golf: the language barrier, preventing the communication between players. With that problem in mind, two years before that, Ikuso Hirokawa, then Chairman of the Japanese Chamber of Industry and Commerce in Brasil, entreated the patriarch of Perfect Liberty, Tokuchika Miki, to create a golf course exclusively for the Japanese colony. His request was immediately complied with, for Miki is always engaged in carrying out enterprises for the benefit of the community.

This entreaty, submitted in Japan, was the initial step towards the creation of PL — Perfect Liberty — Golf Club, which had its first nine holes built in 1968. From then on, it has never stopped growing, serving executive officers transferred from Japan as well as a large number of Japanese settlers in Brasil. In May, 1985, the last nine holes were inaugurated, completing a total of 27, a number found only in another club, Itanhangá, in Rio.

In that same year, masculine and feminine Brasilian amateur championiship games were held in P. L., as well as Brasilian interclub games. Its Open Tournament is one of the four most important tournaments in the State and has the best golfers in Brasil among its participants every year.

Antonio Benedito Barbosa Nascimento, who ranks tenth in Brazilian ranking list is the club's pro, responsible for the green and the well-being of the 540 members of the club. Takashi Goto, presides the club, with the assistance of Mutsuo Kasahara.

ARUJÁ GOLF CLUB

Arujá Golf Club was a dream made true in the mid-sisties. At that time, 50 friends decided to organize a club with not more than 500 members. With that in mind, they put in Cr$ 30 thousand and gave this as a drownpayment for an area of 35 "alqueires", in 1961. One year later, 165 new members allowed them to formalize the purchase of the area for Cr$ 175 thousand.

Now their dream has come true. With the maximum number of members allowed, 500 members, Arujá Golf Club covers an area of 35 "alqueires", with a golf course in excellent condition and a main building with 1,785 square meters. One of its greatest attractions, however, is the children's pavillion, where they have their own restaurant, swimming-pool, play-ground, TV, snooker and "pebolim".

Every year, in July, they sponsor a tournament to commemorate the foundation of the club, which took place at a general meeting held on June 29th, 1965. The chairman of the meeting was Isao Ono, and Hadjime Icuno was the secretary. Minory Otsuka, Taiti Hase, Hisae Tanizaki and Kenishi Ishioka were also present.

The golf course was built in stages. The first nine holes were inaugurated in 1968, and eitht years after that, the remaining nine holes, but the club's first official tournament was held that same year. Nowadays, the most traditional competition is the Aozora, a word which means "blue skeies", a reminder of the sunny days when the first members used to get together to play. These games take place every month, with masculine and feminine competitions and can now count on more than 250 participants.

GUARAPIRANGA GOLF & COUNTRY CLUB

The Guarapiranga Golf & Country Club was founded on January 16 of 1962 by a group of people, most of them English, as a natural continuation of the Club de Golf Anastácio, which was better known as Pirituba. It is picturesquely located in an area of one million square meters inlaid among natural woods and forests sinuously bordered by hills on one side and by the Guarapiranga Water Reservoir on the other, providing beautiful views.

The club appeared out of the necessity of leaving a property leased to Frigorífico Armour, which had been used for 32 years by a group of employees of the São Paulo Railway Co. to form the Club de Golf Anastácio, also known as Pirituba, the name of the section of the city where it was located.

At that time, the members held a meeting and decided to occupy the present area, in the Sítio Paiol.

Its first nine holes appeared only in Nóvember of 67, when several important tournaments have been done.

The course, with 18 holes and rather competitive, is topographically well built, allowing the fast drainage of rainwater and therefore, also taking its location under consideration, the possibility of being used throughout the year. The greens were built to be reached with accuracy, since they are well defended by bunkers and lakes and there is hole 1, a par 4 of 355 yards, reached with two shots, the first being blind.

Form then on, its growth has been remarkable and the Guarapiranga became one of the most beautiful clubs of the State.

TERRAS DE SÃO JOSÉ GOLF CLUB

Terras de São José is a daring real estate enterprise of Jacob Federmann and Rosaldo Malucelli, where the sports have a special place.

Together with golf, tennis and riding were chosen to complement the project.

In 1978 the Davis Cup, the international tennis competition, was done in one of its twenty courts. There are also grass courts, like the ones in Wimbledon, and by the way the single ones in South America.

Located in the urban perimeter of the city, Terras de São José occupies an area of 420 hectares surrounded by a wall of eight kilometers.

At present there are 250 residences surrounding the golf with their tropical gardens and swimming pools.

This is the scenery of the golf course whose construction obeys a very picturesque profile with irrigation by sprinklers every 22 meters. The field is all a Tyfton dwarf with its 18 complete holes and is watered by two rivers. From the very attractive clubhouse, an unmatching view can be seen.

SANTOS-SÃO VICENTE GOLF CLUB

The club was founded by the English colony of Santos, at the time when half the coffee of the world was embarked in this harbour. Nowadays the club is efficiently directed by Brazilians, though the presence of the English is still remarkable among its members. In spite of having only 9 holes, its annual Opens are assiduously watched by players of many clubs of Brazil, who many times take long trips not to miss the event. It is located on the coast, in São Vicente, and, as most golf clubs in Brazil, it also has a swimming pool for the golf players for whom the beach is too far.

Somewhat after its foundation, a clubhouse was built in hardwood and Riga-Scotch pine. It had a bar, the men's and women's dressing rooms and a terrace. The number of effective members was large, much larger than now. Until 1936, the absolute majority of the members was Anglo-American. The Brazilians were very few. With the beginning of the Second World War many of the members returned either to England or the United States to join the army forces fighting in Europe.

One of the most remarkable historic facts of the Club was the visit of the then Prince of Wales, and later King Edward VIII and Duke of Windsor, who, on March 4, 1931, showing that he was a lucky player, succeeded in playing a hole-in-one. Up to now there is a stone plate in tee 3, registering the event.

SÃO FRANCISCO GOLF CLUB

An enthusiastic sportsman and a person fascinated by golf, Count Luiz Eduardo Matarazzo, the youngest of the 13 children of the founder of the IRFM, used to play some strokes in his three holes in a country property "out" of São Paulo where he spent the weekends and some afternoons. This place, in 1935, was on the present Av. Faria Lima, exactly in the area occupied now by Shopping Center Iguatemi.

Many times the Count and the Countess were accompanied by the best known instructor of Brasil at that time. I was the boy and Jose Maria, of fond memory, who had designed and created the short circuit.

A little later, already before the beginning of the Second World War, the Count decided to give São Paulo a true golf course which should have 18 holes.

On a farm owned by Cia. Urbana Paulista, beyond Rio Pinheiros and almost in Osasco, a possible area was then chosen and to the same José Maria Gonzalez, this time helped by Mr. José Gallosta Coelho y Portugal, consul of Spain in São Paulo, the works of execution of the first nine holes were trusted. They were ready in 1942.

In the same year, the clubhouse also got ready. It remains the same up to now. The architect was the Count Matarazzo himself.

Due to the war, the Club began to function only in 1944, and years later, it was contracted a well-known Argentine instructor: Armando Rossi.

Rossi remained in the São Francisco up to 1958, but from 1944 on, the history of the São Francisco becomes a part of the history of the golf of São Paulo and of Brasil.

The São Francisco is already a private tennis and golf club under the presidency of the daughter of the founder, the Countess Graziella Matarazzo Leonetti, who inherited it from her father in 1958.

In 1966, the course received a strange present from Count Barnabo Visconti di Modrone, which made the club famous: eight alligators were brought from Mato Grosso solely to divert the attention of the players who beat the challenging hole 9.

On June 1, 1970, with the authorization of the Brazilian Golf Association, the Club had, for the first time, a tournament with the great names of Latin-American golf, together with some Europeans. Florentino Molina was the winner playing against the Argentines R. de Vicenzo, F. de Luca, L. Rapisarda, C. Fernandez, and the English M. Gregson and D. Thomas, and all the best Brazilian players of that time.

HISTORY OF THE BRASIL OPEN

The Campeonato Aberto de Golf do Brasil, the Brasil Open, was instituted in 1945, when it was done in the Gavea Golf and Country Club of Rio de Janeiro. The champion was Martin Pose. From then on, alternating between the Gavea and the São Paulo Golf Club, with some competitions done at the Itanhangá, at the São Fernando and at the Porto Alegre Country Club, the Open had the participation of great players of the country and abroad. At present, it is a milestone in the calender of world golf.

Along its history, the Open had some foreign players who were assiduous winners, such as the Argentine Roberto De Vicenzo.

YEAR	PLACE	PLAYER	SCORE
1945	Gavea	Martin Pose (ARG)	275
1946	São Paulo	Mario Gonzalez (BRA)	274
1948	São Paulo	Mario Gonzalez (BRA)	270
1949	Gavea	Mario Gonzalez (BRA)	269
1950	São Paulo	Mario Gonzalez (BRA)	270
1951	Gavea	Mario Gonzalez (BRA)	272
1952	São Paulo	Sam Snead (USA)	267
1953	Gavea	Mario Gonzalez (BRA)	270
1954	São Paulo	Roberto de Vicenzo (ARG)	277
1955	Gavea	Mario Gonzalez (BRA)	275
1956	São Paulo	Fidel de Lucca (ARG)	278
1957	Itanhangá	Roberto de Vicenzo (ARG)	281
1958	São Paulo	Billy Casper Jr. (USA)	270
1959	Gavea	Billy Casper Jr. (USA)	268
1960	São Paulo	Roberto de Vicenzo (ARG)	271
1961	Gavea	Peter Allis (GB)	272
1962	São Paulo	Bernard Hunt (GB)	273
1963	Itanhangá	Roberto de Vicenzo (ARG)	279
1964	São Fernando	Roberto de Vicenzo (ARG)	285
1965	Gavea	Ramon Sota (SPAIN)	268
1966	São Paulo	Rex Baxter (USA)	277
1967	Itanhangá	Raul Travieso (ARG)	281
1968	São Fernando	Takaashi Kono (JAP)	282
1969	Porto Alegre	Mario Gonzalez (BRA)	280
1970	São Paulo	Bert Green (USA)	276
1971	Itanhangá	Bruce Fleisher (USA)	280
1972	Gavea	Gary Player (SA)	270
1973	São Fernando	Roberto de Vicenzo (ARG)	279
1974	Gavea	Gary Player (SA)	267
1975	São Paulo	Priscillo Diniz (BRA)	274
1976	Porto Alegre	Juan Quinteros (ARG)	279
1977	São Paulo	Vicente Fernandez (ARG)	274
1978	São Paulo	Raymond Floyd (USA)	277
1979	Gavea	Fidel de Lucca (ARG)	270
1980	São Fernando	Jerry Pate (USA)	274
1981	Itanhangá	Tom Sieckman (USA)	284
1982	Gavea	Hale Irwin (USA)	265
1983	São Paulo	Vicente Fernandez (ARG)	277
1984	Itanhangá	Vicente Fernandez (ARG)	277
1985	Gavea	Robert Lee (ENGL)	272
1986	São Fernando	E. Caballero (BRA)	277

LAGO AZUL GOLF CLUB

Lago Azul (Blue Lake) is located in the Municipality of Araçoiaba da Serra, near the town of Sorocaba, in the State of São Paulo. It is 110km far from the City of São Paulo and can be reached by President Castelo Branco Highway and Raposo Tavares Highway.

The golf course is part of an urban complex conected with a housing project in condominium, which encircles it on either side and all along its borderlines.

The green was designed with 18 holes, and occupies an area of 450,000.00 m2. Nine of these holes have been concluded since 1976, covering an area of 280,000.00 m2.

The course is more than 7,300 yards long, and has a course-rating of 75.3 for men and 75.9 for women. The links were built in a mountainous region of smooth topography, 700 meters above sea level. The weather is dry and the air is estremely pure.

The course is par 72 and several ponds were built, as part of the strategy of the game.

Tito Livio Martins Netto had the idea to organize this club and was also its sponsor. The Argentinian architect, Enrique Serra, carried it out.

Approximately one year was spent, travelling, studying, surveying and preparing previous designs, before the real and definitive outline of the field, in conjunction with the houses, was decided upon. The result was a perfect combination of houses and green, with the consideration of very important details such as: topography, visibility, the drainage of rain waters, access, declivity, orientation, tranquility, beauty and other aspects as well.

The greens, planted with Bermuda Tifton 328, were designed in consideration of the strategy of each fairway, with an average area of 700.000 m2, allowing for several positions of the flag stick and providing great versatility.

The teeing grounds in Lago Azul, planted with Bermuda Tifton 328, are very large and were planned in different sizes, heights and forms, 90 yards long and 10 yards wide.

The fairways are completely covered with Bermuda Tifton 328 and have been carefully shaped in all their extension, with a flat central area and the sides shaped as dunes, never less than 90 yards wide.

The driving range, also planted in Bermuda Tifton 328, 300 yards long, has been planned in order that up to 29 golfers can practise at the same time, and there is a putter green, modelled exactly after the greens in the course and, a large sand bunker for practice.

In order to make the landscape even more beautiful and the game more difficullt, approximately 20,000 trees of 27 different species, were planted round the first nine holes of the course.

This way, the result obtained was a golf course in which one can admire the amplitude and beauty of its greens, teeing grounds and fairways, the adequate location of cross-bunkers and green bunkers and enjoy playing in a long course fully planted with Bermuda, scattered with thousands of trees and encircled by diferent lakes.

Lago Azul Golf Club was founded on November 21, 1978.

GUARUJÁ GOLF CLUB

The Guarujá Golf Club is located in the Balneário of Pernambuco Beach in Guarujá, 130 km from the capital of the State of São Paulo. It was founded in 1960 and made official in 1962.

It is a course with 9 holes with different tees in the second turn. It measures 6103 yards, with a par 72 and is famous both for its beauty and for the difficulties it presents. It is not very long, but it presents many challenges since its fairways are narrow and full of artificial lakes, being a big challenge either for amateurs or for professionals who hardly ever get below the par of the course.

It was projected and built by the engineer Nuno Duarte Sottomayor and is worthwhile to be played.

CLUB DE GOLF DE BRASÍLIA

In order to stimulate the definitive transfer of the capital of the Republic to Brasilia, a group of sporstmen began, on March 11, 1964, the organization and building of this club. This was how Brasilia Golf Club appeared, skirting Lake Paranoá, four kilometers far from the Square of Three Powers. It has a 13 hole course, with four holes right on the margin of the Lake. It has very special features, for it is the only place where one can play golf in typical brush country, characteristic of this region.

The course was designed by an architect of worldwide renown, specialized in golf links, the American Robert Trent Jones. The design is very beautiful and the course has a slightly undulated topography. It is more than one thousand meters above sea level. As it is completely irrigated, members can play golf the whole year round. There are six months of complete draught and, during the other semester, summer showers are frequent, but do not prevent sportmen from continuing to play golf.

It is located in the Southern Sporting Sector, Stretch 2, Lot 2, on the margin of Lake Paranoé. It is 6,659 yards long and the par, 72.

The weather in Brasilia is dry and cool, and temperatures range from 17 to 29 degrees centigrade.

CLUB CURITIBANO

At the disposal of the twenty-five thousand people, members and their families, who use the Club Curitibano in Paraná, there is not only the delight of the peace of a good golf course. In its area of 30 alqueires in the city of Quatro Barras, the members can practice tennis, swimming, volleyball, basketball, indoor soccer, karate, ballet, callisthenics, muscle development and physical conditioning.

This is due to the fact that Club Curitibano already existed before the present golf course was added to it. At the beginning of the story, its name was Paraná Golf Club and there were only nine holes there.

The present facilities comprise two clubhouses, one for all the members and one exclusively for the golf players, with dressing rooms and a small restaurant. As for the course, its outline is rather peculiar: wide long tees, some rounded or in the shape of a half moon, greens with a minimum length of 300 meters and fairways of 50 meters.

The person who participated in all the construction of the new field was the Argentine naturalized Brazilian, Frederico German. Together with the expert designer Luiz Dedini and the irrigation projector, Henrique Serra, German inspected each step of the works. When the outline was ready, it was time to take care of the visual aspects. Two forestal engineers, Luiz Benedito Xavier da Silva and Frederico Reichman Neto, were called. They were the authors of a project which foresaw the planting of 5000 trees and has already been totally accomplished.

The piece of lands has a most beautiful topography, with the permanent view of Serra do Mar. It is an area of 726 ares with the clubhouse contructed and decorated in tipically European style.

At present it is the single 18-hole golf course of Parana and is also considered one of the best of Brasil.

GRACIOSA COUNTRY CLUB

The real history of modern and up-to-date Graciosa Country Club began in November 11, 1914, with the foundation of Germania Sport Club, which, in May 11, 1921, had its name changed to Graciosa Tennis Club. Its actual foundation, however, took place on July 14, 1927 upon the merger of Graciosa Tennis Club and Curitiba Golf Club. The first president was Ivo Leão, of fond memory, and the first Golf Committee had as members Messrs. Refowler, B. Mor and Hermano Machado. The tee-off was made by Ms. B. Mor, at 10:00 a.m., on July 14, 1927.

Located only a few kilometers far from the city of Curitiba, the club has an area of approximately 290,000 square meters, with a ten hole golf course, complete facilities for playing tennis, with ten tennis-courts, five of which with lighting, a covered gymnasium with two indoor courts and five dressing-rooms.

Two swimming-pools, lighted soccer fields, volley-ball, squash and other courts make up the sports area. The clubhouse, the shack as well as most other buildings have kept to the style adopted for the first building, the clubhouse, providing a traditional British atmosphere. The required irrigation of the golf course is now being implemented, so as to allow the planting and upkeep of different types of vegetation, which now consists mainly of native plants and others adaptable to the climate. A recovery of the soil and a reform of fairways and greens is now underway.

Many games have been played since that famous tee-off on July 14, 1927, but the outstanding golf activity of the club is the traditional annual Open Championiship of the City of Curitiba, openning the year's golf season in Brasil, because it was the first and therefore, the oldest national tournament. This year the thirty-eighth Open Championship was held. Since 1946 the Championship of the State of Paraná is also held in the club.

Excellent golfers have been trained in this club, but a special mention must be made of Carlinhos Dluhosch, who began to play when he was 12 years old and has won the Club's championship several times, the championship of the State of Paraná and, has held the sceptre of Brasilian champion for several years.

The green is the responsibility of green-keeper Eduardo Caballero, a professional golfer, among the three first in the National ranking of professional golfers.

PORTO ALEGRE COUNTRY CLUB

Porto Alegre Country Club, one of the most traditional in Brasil, completed 56 years of foundation last May.

It started on the initiative of Carlos Pereira Sylla who looked up Joseph E. Millender, then chairman of "Empresas Elétricas de Porto Alegre", when he heard that this Texan and his friends, directors of the British Bank and the South American Bank, used to practise their strokes in a small enclosed pasture, not very far fom the club's green, today.

After a long search for appropriate grounds, they all agreed on an area which bordered on said enclosed pasture, and belonged to the Charity Hospital.

These "golfers" were consulted, as well as some other friends, such as Pelegrin Filgueiras, Victor Kessler, Norberto Jung and Carlos Hoffmeister and others, and it was agreed that they would purchase said plot of land, near historical "Chácara das Três Figueiras", with an area of 370 thousand meters, for 200 thousand "mil réis".

The first nine holes were built by Sylla, Millender and a few other members. Soon afterwards they hired pro J.M. Gonzalez to make the final arrangements and give golf lessons to beginners, during several months.

The golf course as it is now, with nine holes more and all the improvements made, is considered one of the good greens in Brasil.

A lot is owed to different managers and the pros Angel Corona, Pablo and Fortunato Miguel and, Alberto Serra.

In this green important international competitions have been staged, such as the Brasilian Open Championship and Amateur Championship, in which the club has been represented by golfers of international class, such as Elizabeth Nickhorn, Fernando Chaves Barcellos and his son Antonio, one of the best in South America.

Among the new generation, the following stand out: Claudia Bertaso, Cristina Schmitt, Antonio S. Barcellos, Aldo Wolf and Victorio Gheno.

Porto Alegre Country Club, one of the good clubs in Brasil, where many national and international competitions have taken place, with its slightly undulating green, has some very interesting holes, it also has a very beautiful clubhouse, where Porto Alegre Society likes to gather.

Hole number one, a not very long par 4, is ideal for the tee-off, but very demanding, for the first stroke is very important.

Number two has a pronounced dog-leg on sloping ground, a wide two-tiered green, well protected by bunkers, which make it rather difficult.

Number three, a long par 3, normally requiring a far-reaching iron, has its greatest difficulty on the right-side out-of-bounds and a steep slope on the left. A very good hole.

Number ten hole, the best in the course, has, as its main difficulties, the distance, a brook crossing the target line, wild growth on both sides, a slanted green, many undulations and bunkers.

Number thirteen is rather long, a wide green in two levels with many slopes, rather difficult for the putting.

Number 16 is a medium-long par 3, also very demanding.

Number 18, apparently easy, is a deceiving hole, because the first stroke has to place the ball very well, so that, in a second stroke, with an iron number nine or a Wedge, one may manage to reach the very difficult green.

CLUB CAMPESTRE DE LIVRAMENTO

It seems that only two golf clubs preceded the Campestre do Livramento in the practice of golf in Brasil. They are the São Paulo Golf Club and the Santos Golf Club, the former founded in 1914 and the latter in 1915. In fact, historically, the Campestre with its social structure and new sports fields and courts was founded in 1958, but its pleasant rugged golf course, which was the factor causing the appearance of the Campestre, already existed, fully active, since 1918.

In 1917, during the First World War, Frigorífico Armour got settled in Livramento to produce food for the allied soldiers combating in Europe. Since work is not all in a man's life, the company directors, headed by Mr. Thomas Parker, all of them taken by the "sweet madness" for golf, had the sound inspiration of bringing from Argentina a young Spanish golf pro named José Maria Gonzalez for him to implant a golf course in the lands surrounding the beautiful building of the company's clubhouse. José Maria not only built the field but also created conditions for the improvement of the sport in Brasil's big center — Rio and São Paulo, as years passed.

During all these years, great players, such as J. Sidney MacBay, Mario Braga and others, passed by the links of the Campestre. All of them can be represented by the unique figure of Richard H. Stout!, the man who gave incentive to golf in Rio Grande do Sul. A gentleman and an unmatchable sportsman, he was always present at the small and big golf events in Rio Grande do Sul.

Since 1972, the Club passed to do the I Torneio Internacional de Golf (First International Golf Tournament) with the participation of similar clubs from Argentina, Uruguay, Paraguay, and Brasil. This event has been happening every year since then.

The Livramento golf course has a very undulated topography and a beautiful grove of tress with purple and yellow "ipês", sycamores and pinus. With holes of good technical conception, such as n.os 4, 9 and 16, and agreeable temperature, averaging between 18 and 20°C, it is a very pleasant place to play.

CLUB CAMPESTRE DE PELOTAS

The Club Campestre de Pelotas has a 9-hole golf course with different tees for the second turn. It is undoubtedly one of the best of the State of Rio Grande do Sul. It was built by the instructor Pablo Miguel, who did a very good job, with some very interesting holes. It has been recently remade by the constructor Alberto Serra who could improve an already good work.

Greens n.° 2, 3, 4, 6 and 8 have been rebuilt and now present a more modern style.

The Club Campestre has, in hole 2, a very difficult par 3 of 197 yards, since it requires a long iron, played very accurately to enter the green. Another interesting hole is number 12, a par 5 of 497 yards.

Hole n.° 9, a long par 4 of 398 yards, is one where it is necessary to place the first stroke well, and then with a medium iron, to try the green with the second stroke.

COUNTRY CLUB DA CIDADE DO RIO GRANDE

Cidade do Rio Grande Country Club was founded on February 19, 1960, inspired by the golf course of the then existing SWIFT-ARMOUR cold storage company.

Upon the closing of these industrial facilities, the course was also closed and there remained no other area for hte practise of sports in our city. It was then that a group of golfers, such as Messrs. Luis Alberto Dias, Gesiel Magalhães, Ecy Santos, Paulo Schmidt, among others, decided to look for a place to build a golf course. The course which began at that time had only 5 holes and 27 Ha, but now it has 9 holes with a very beautiful outline and 65 Ha of leisure area.

The topography of the green is very characteristic, for the area is extremely flat, and only 8 km far from Cassino Beach (the longest beach in the world). It is now becoming a center of large state-wide competitions.

Besides the golf course, the club has eight tennis courts, two soccer fields, a volleyball court, bicycross track, swimming-pools, a sauna and a beautiful clubhouse where important social events take place.

ROSÁRIO DO SUL

Golf appeared in Rosario do Sul in 1947, with the name of Swift Golf and Country Club, owned by Cia. Swift do Brasil, established in the city. In the middle 60's, the present course was built with the help of the professional José Maria Gonzalez Filho. In 1972, with the end of the Swift Golf & Country Club, the present Rosario Golf Club was founded with the participation of many inhabitants of Rosário who were interested in the continuation of the practice of golf.

Among the best players who had their initiation in this club we can mention Mr. Luis Alberto Arrieta and Mr. Douglas I. McFarlane.

At present, the club has 100 members. Its grounds are slightly undulated and are located at 132 meters above sea level.

Almost all the fairways are outlined by beautiful hardwood trees, mainly pinus, angico, sycamore, cedar, rosewood, etc.

Weack and moderate winds are normal. In winter there is a predominance of the "minuano", a cold, dry winter wind that blows from the southwest. The average temperature is around 18 to 20°C.

The field is short and does not have any a par 5.

GRAMADO GOLF CLUB

The Gramado Golf Club is 7 km from the city of Gramado.

The Lago Negro, Black Lake, with its trees imported from Germany, the hydrangeas and the archtecture of the buildings imitating that of Bavaria, are the trademarks of Gramado.

138 km from Porto Alegre, with excellent access by the BR-116, the city is very well provided with hotels: there are more than forty four-star hotels.

The Golf Club, inaugurated in 71, was a result of the effort of some golf enthusiasts led by Erico Rosenfeld.

The course is slightly undulated, with 9 holes with two tees each, for men. The women's tees are being implanted. The greens are of average size.

The temperatures in Gramado vary a lot. In summer they may reach 36°C and in winter the thermometer marks even some negative degrees. Since the golf course has excellent natural drainage, there is nothing to hinder the practice of the sport even with rain.

The prevailing winds blow from the North and the Northwest, being weak to moderate. Among the many birds that there are in the course we can see hawks, "quero-queros" and "socós".

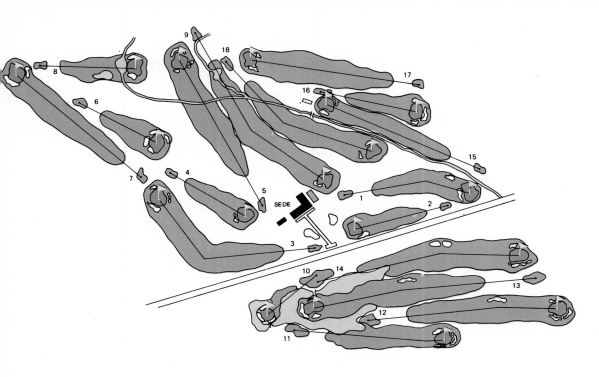

GÁVEA GOLF COUNTRY CLUB

Número de buracos: 18
Distância do Campo: Cavalheiros - 5795 jardas
                   Damas - 5156 jardas
Par do Campo: 68
Construtor: Arthur Morgan Davidson
Inauguração: 1921
Visitantes admitidos: Durante a semana - com prévia autorização.
Sábados, domingos e feriados - somente jogando com sócio.
Caddies disponíveis: Sim
Restaurante: Sim
Outras opções de lazer: Piscina
Hotéis recomendados: Intercontinental, Sheraton, Copacabana Palace, Rio Palace, Nacional.
Endereço do Campo: Estrada da Gávea, 800 - São Conrado - Rio de Janeiro

BURACO	JARDAS	PAR
1	308	4
2	208	3
3	498	5
4	178	3
5	387	4
6	165	3
7	373	4
8	199	3
9	481	5
	2797	34
10	142	3
11	275	4
12	346	4
13	435	4
14	399	4
15	381	4
16	235	3
17	375	4
18	410	4
	2998	34
TOTAL	5795	68

ITANHANGÁ GOLF CLUB

Número de buracos: 27
Distância do Campo: 6359 jardas
Par do Campo: 72
Arquiteto: Thompson Jones Co. Inc.
Construtor: José Eustace
Inauguração: 1933
Visitantes admitidos: Sim
Caddies disponíveis: Sim
Restaurante: Sim
Outras opções de lazer: Piscina, equitação
Hotéis recomendados: Intercontinental, Nacional
Endereço do Campo: Estrada da Barra da Tijuca, 2205, CEP 22600 - Rio de Janeiro

BURACO	JARDAS	PAR
1	284	4
2	420	4
3	472	5
4	180	3
5	472	5
6	187	3
7	406	4
8	391	4
9	371	4
	3183	36
10	166	3
11	498	5
12	390	4
13	124	3
14	328	4
15	524	5
16	558	5
17	146	3
18	442	4
	3176	36
TOTAL	6359	72

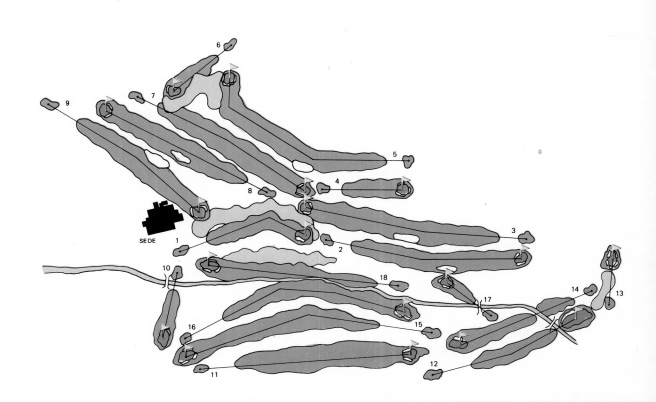

PETRÓPOLIS COUNTRY CLUB

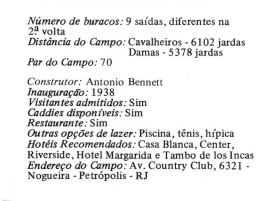

Número de buracos: 9 saídas, diferentes na
2ª volta
Distância do Campo: Cavalheiros - 6102 jardas
Damas - 5378 jardas
Par do Campo: 70

Construtor: Antonio Bennett
Inauguração: 1938
Visitantes admitidos: Sim
Caddies disponíveis: Sim
Restaurante: Sim
Outras opções de lazer: Piscina, tênis, hípica
Hotéis Recomendados: Casa Blanca, Center,
Riverside, Hotel Margarida e Tambo de los Incas
Endereço do Campo: Av. Country Club, 6321 -
Nogueira - Petrópolis - RJ

BURACO	JARDAS	PAR
1	380	4
2	200	3
3	275	4
4	420	4
5	190	3
6	378	4
7	348	4
8	395	4
9	475	5
	3061	35
10	420	4
11	235	3
12	252	4
13	400	4
14	168	3
15	471	5
16	216	3
17	479	5
18	400	4
	3041	35
TOTAL	6102	70

TERESÓPOLIS GOLF CLUB

BURACO	JARDAS	PAR
1	485	5
2	375	4
3	344	4
4	182	3
5	395	4
6	163	3
7	435	4
8	185	3
9	521	5
	3085	35
10	485	5
11	375	4
12	348	4
13	157	3
14	405	4
15	159	3
16	410	4
17	256	4
18	536	5
	3131	36
TOTAL	6216	71

Número de buracos: 9 com saídas diferentes
na 2ª volta
Distância do Campo: Cavalheiros - 6216 jardas
Damas - 5442 jardas
Par do Campo: 71
Arquitetos: Thompson Jones Co. Inc.
Inauguração: 1934
Visitantes admitidos: Sim
Caddies disponíveis: Sim
Restaurante: Sim
Outras opções de lazer: Piscina, tênis, hípica
Hotéis recomendados: Hotel Alpina
Endereço do Campo: Av. Presidente Roosevelt,
2222 - Teresópolis - RJ

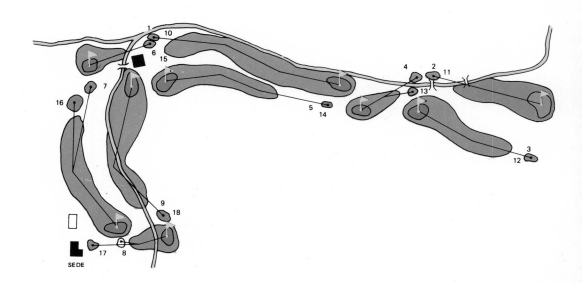

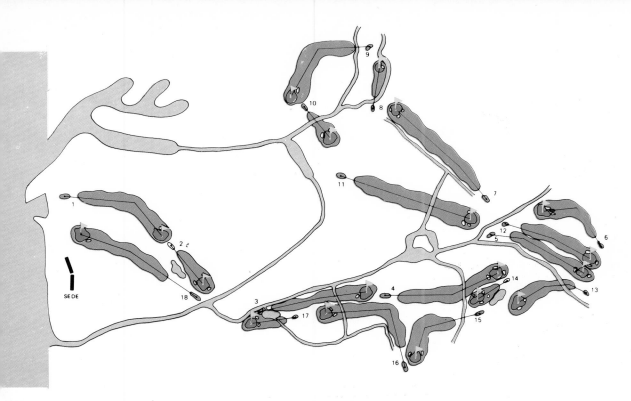

GOLF HOTEL DO FRADE

Número de buracos: 18
Distância do Campo: Cavalheiros - 6380 jardas
Damas - 5850 jardas
Par do Campo: 72
Arquitetos: Peter Allis & Dave Thomas Limited
Inauguração: 1980
Visitantes admitidos: Sim
Caddies disponíveis: Sim
Restaurante: (2) - Escuna e Chez Dominique
Outras opções de lazer: equitação, tênis,
fotografia submarina, passeio de saveiro,
esportes aquáticos.
Hotéis recomendados: Hotel do Frade,
Frade Portogalo Hotel, Pousada Paraty
Endereço do Campo: Km 123 da Estrada
BR 101 (Rio - Santos) - Tel.: (0243) 65-1212
Angra dos Reis, RJ

BURACO	JARDAS	PAR
1	400	4
2	206	3
3	431	4
4	485	5
5	352	4
6	363	4
7	517	5
8	154	3
9	374	4
	3282	36
10	154	3
11	495	5
12	470	5
13	319	4
14	160	3
15	368	4
16	515	5
17	171	3
18	440	4
	3092	36
TOTAL	6374	72

EDEN COUNTRY DO BRASIL

BURACO	JARDAS	PAR
1	520	5
2	408	4
3	397	4
4	338	4
5	175	3
6	525	5
7	130	3
8	380	4
9	187	3
	3060	35
10	510	5
11	412	4
12	393	4
13	342	4
14	175	3
15	535	5
16	130	3
17	370	4
18	193	3
	3060	35
TOTAL	6120	70

Número de buracos: 9 com saídas diferentes
na 2ª volta
Distância do Campo: 6120 jardas
Par do Campo: 70
Arquiteto: Eng.º Francisco Nobre Guedes
Inauguração: 1983
Visitantes admitidos: Sim
Caddies disponíveis: Sim
Restaurante: Maria do Céu
Outras opções de lazer: Centro hípico, praia
Hotéis recomendados: Pousada do Alemão
Endereço do Campo: Km 42 da Rodovia
Amaral Peixoto - RJ

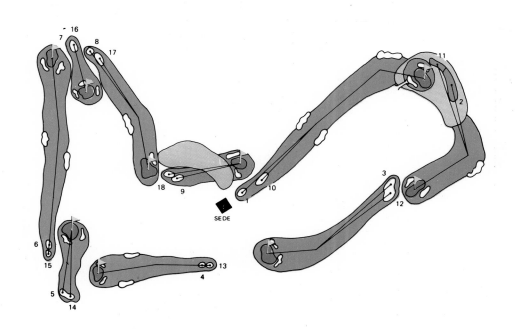

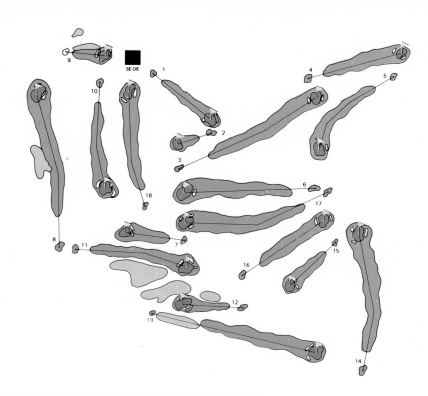

SÃO PAULO GOLF CLUB

Número de buracos: 18
Distância do campo: 6529 jardas
Par do campo: 71
Inauguração: 1901
Visitantes admitidos: somente jogando com sócio
Caddies disponíveis: Sim
Restaurante: Sim
Outras opções de lazer: Piscina, mini-golf
Hotéis recomendados: Transamérica
Endereço do Campo: Pça. Dom Francisco de Souza 540 - CEP 04745 - São Paulo

BURACO	JARDAS	PAR
1	319	4
2	139	3
3	583	5
4	349	4
5	442	4
6	468	4
7	172	3
8	539	5
9	155	3
	3166	35
10	395	4
11	349	4
12	167	3
13	548	5
14	443	4
15	210	3
16	350	4
17	511	5
18	390	4
	3363	36
TOTAL	6529	71

SÃO FERNANDO GOLF CLUB

BURACO	DISTÂNCIA	PAR
1	370	4
2	394	4
3	423	4
4	389	4
5	425	4
6	148	3
7	566	5
8	184	3
9	444	4
	3343	35
10	377	4
11	399	4
12	158	3
13	535	5
14	419	4
15	403	4
16	162	3
17	590	5
18	301	4
	3344	36
TOTAL	6687	71

Número de Buracos: 18
Distância do Campo: Cavalheiros - 6687 jardas
Damas - 6041 jardas
Par do Campo: Cavalheiros - 71, Damas - 72
Arquiteto: Luther Koonz
Inauguração: 21/04/1954
Visitantes admitidos: Sim
Caddies disponíveis: Sim
Restaurante: Sim
Outras opções de lazer: Piscina, Play ground, Bares
Hotéis recomendados: Maksoud Plaza, Eldorado, Caesar Park, Hilton, Novotel
Endereço do Campo: Rodovia Raposo Tavares, km 28,500

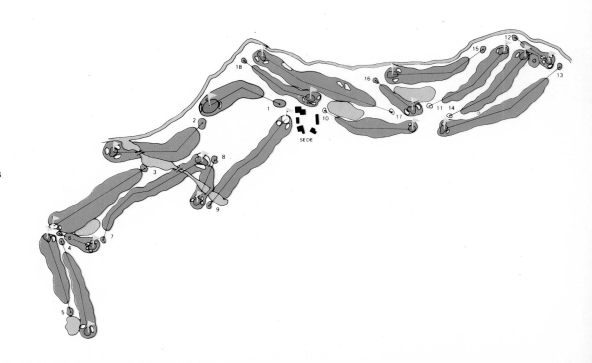

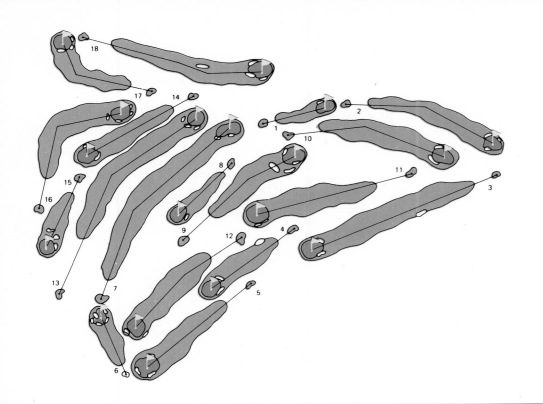

CLUB DE CAMPO DE SÃO PAULO

Número de buracos: 18
Distância do Campo: Cavalheiros - 6348 jardas
　　　　　　　　　　　 Damas - 5283 jardas
Par do Campo: 72
Arquitetos: José Maria González e
Gastão Almeida e Silva
Inauguração: 1937
Visitantes admitidos: Somente quando convidado
por um sócio
Caddies disponíveis: Sim
Restaurante: Sim
Outras opções de lazer: Departamento náutico,
tênis, piscina
Hotéis recomendados: Novotel, Transamérica
Endereço do Campo: Rua Frederico René Jaegher,
3400 - São Paulo

BURACO	JARDAS	PAR
1	161	3
2	362	4
3	535	5
4	299	4
5	330	4
6	187	3
7	595	5
8	179	3
9	323	4
	2971	35
10	360	4
11	370	4
12	381	4
13	573	5
14	304	4
15	164	3
16	354	4
17	344	4
18	527	5
	3377	37
TOTAL	6348	72

ARUJÁ GOLF CLUB

BURACO	JARDAS	PAR
1	356	4
2	169	3
3	535	5
4	372	4
5	364	4
6	344	4
7	346	4
8	156	3
9	507	5
	3149	36
10	420	4
11	411	4
12	403	4
13	171	3
14	509	5
15	433	4
16	215	3
17	602	5
18	299	4
	3463	36
TOTAL	6612	72

Número de buracos: 18
Distância do Campo: Cavalheiros - 6612 jardas
　　　　　　　　　　　 Damas - 5735 jardas
Par do Campo: 72

Inauguração: 1965
Visitantes admitidos: Somente acompanhados
de sócio
Caddies disponíveis: Sim
Restaurante: Sim
Outras opções de lazer:
Hotéis recomendados: Maksoud Plaza
Endereço do Campo: Estrada Municipal,
2000 - Arujá - São Paulo

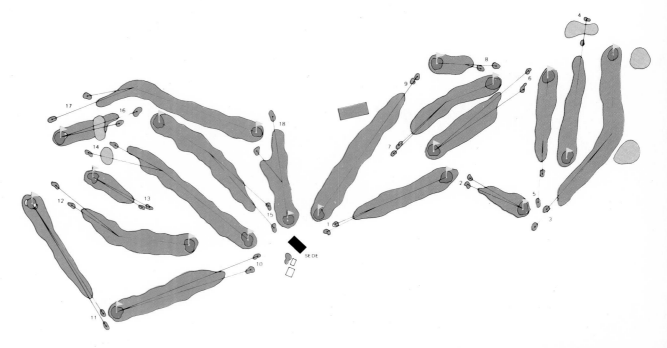

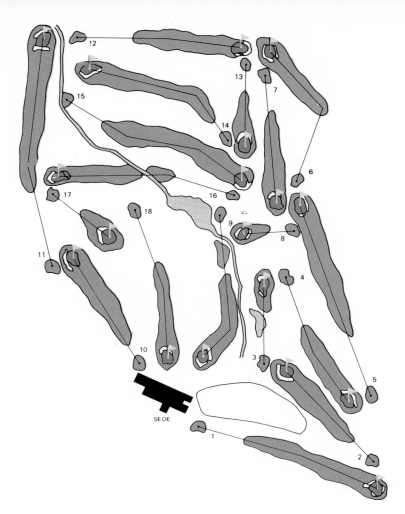

P.L. GOLF CLUB

Número de buracos: 27
Distância do Campo: Cavalheiros - 6653 jardas
                      Damas - 5822 jardas
Par do Campo: 72
Arquiteto: Eng. Yamamuro (Japão)
Inauguração: 1968
Visitantes admitidos: Somente quando acompanhado de sócio
Caddies disponíveis: Não
Restaurante: Sim
Outras opções de lazer: Não
Hotéis recomendados: Maksond Plaza
Endereço do Campo: Av. P.L. do Brasil, s/nº
Arujá - São Paulo

BURACO	JARDAS	PAR
1	508	5
2	363	4
3	192	3
4	387	4
5	516	5
6	367	4
7	356	4
8	153	3
9	324	4
	3166	36
10	423	4
11	381	4
12	520	5
13	212	3
14	432	4
15	515	5
16	434	4
17	183	3
18	387	4
	3487	36
TOTAL	6653	72

BURACO	JARDAS	PAR
1	165	3
2	333	4
3	471	5
4	129	3
5	348	4
6	326	4
7	485	5
8	275	4
9	255	4
	2787	36

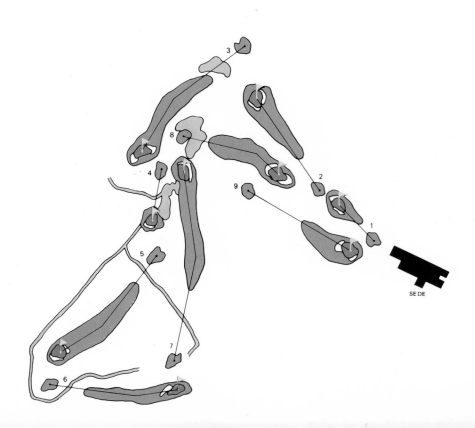

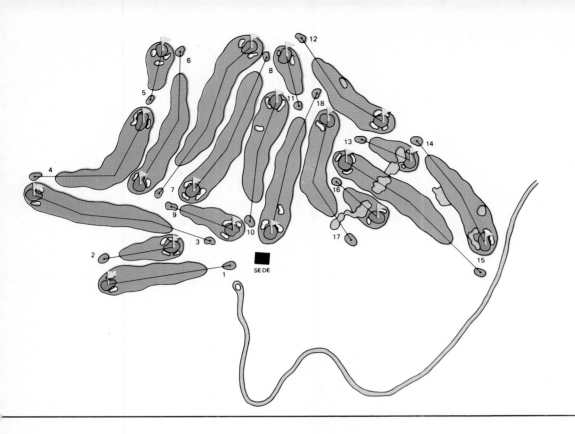

GUARAPIRANGA GOLF COUNTRY CLUB

Número de buracos: 18
Distância do Campo: Cavalheiros: 6240 jardas
        Damas: 5433 jardas

Par do Campo: 69
Construtor: Gastão Almeida e Silva
Inauguração: 1967
Visitantes admitidos: Sim
Caddies disponíveis: Sim
Restaurante: Sim
Outras opções de lazer:
Hotéis recomendados: Novotel, Transamérica
Endereço do Campo: Estrada do Jaceguava,
s/nº - Parelheiros - São Paulo

BURACO	JARDAS	PAR
1	355	4
2	160	3
3	600	5
4	406	4
5	158	3
6	385	4
7	568	5
8	427	4
9	199	3
	3258	35
10	385	4
11	177	3
12	396	4
13	166	3
14	392	4
15	496	5
16	148	3
17	408	4
18	414	4
	2982	34
TOTAL	6240	69

TERRAS DE SÃO JOSÉ GOLF CLUB

Número de buracos: 18 - outros 9 em construção
Distância do Campo: Cavalheiros - 6700 jardas
        Damas - 6216 jardas

Par do Campo: 72
Construtor: Federico Bauer - Ricardo Rossi
Inauguração: 1980
Visitantes admitidos: Sim
Caddies disponíveis: Sim
Restaurante: Sim
Outras opções de lazer: Piscina
Hotéis recomendados: São Raphael
Endereço do Campo: Itu - São Paulo

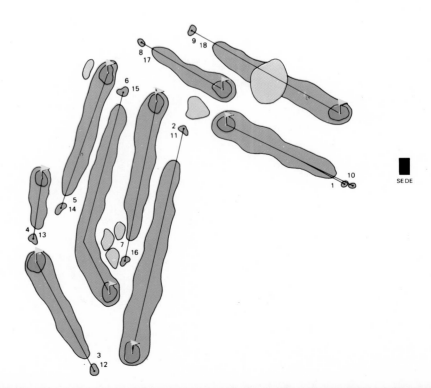

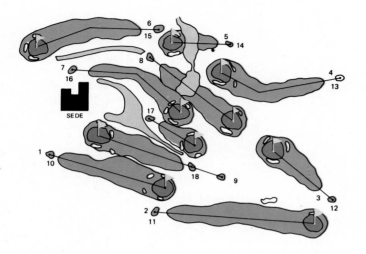

SANTOS - SÃO VICENTE GOLF CLUB

Número de buracos: 10 com saídas
diferentes na 2ª volta
Distância do Campo: 5717 jardas
Par do Campo: 70

Inauguração: 1915
Visitantes admitidos: Sim
Caddies disponíveis: Sim
Restaurante: Sim
Outras opções de lazer: Piscina, tênis
Hotéis recomendados: Parque Balneário Hotel
Endereço do Campo: Av. Pérsio de Queiroz
Filho, 101 - São Vicente - SP

BURACO	JARDAS	PAR
1	343	4
2	500	5
3	150	3
4	372	4
5	164	3
6	390	4
7	298	4
8	327	4
9	435	5
	2979	36
10	335	4
11	500	5
12	150	3
13	372	4
14	164	3
15	390	4
16	298	4
17	165	3
18	364	4
	2738	34
TOTAL	5717	70

SÃO FRANCISCO GOLF CLUB

BURACO	DISTÂNCIA	PAR
1	348	4
2	198	3
3	334	4
4	575	5
5	553	5
6	420	4
7	169	3
8	478	5
9	155	3
	3230	36
10	386	4
11	177	3
12	324	4
13	587	5
14	573	5
15	369	4
16	155	3
17	427	4
18	179	3
	3177	35
TOTAL	6407	71

Número de buracos: 9 com saídas diferentes
na 2ª volta
Distância do Campo: Cavalheiros - 6407 jardas
Damas - 5518 jardas
Par do Campo: 71
Arquitetos: José Maria González e Alberto Serra
Inauguração: 1942
Visitantes admitidos: Sim
Caddies disponíveis: Sim
Restaurante: Sim
Outras opções de lazer: driving-range, quadras
de tênis, piscina, bocce, futebol, carteado
Hotel Recomendado : Grande Hotel Cad'Oro
Endereço do Campo: Martin Luther King, 1527
Osasco - SP

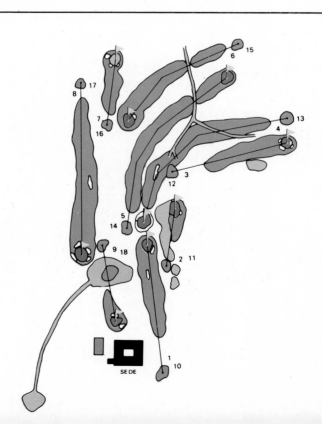

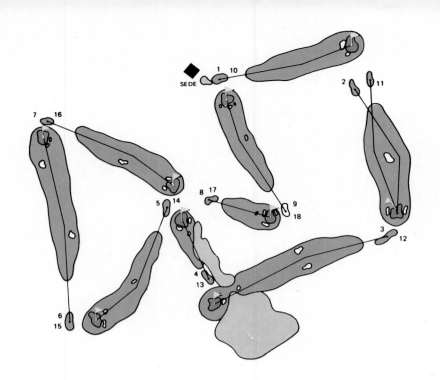

LAGO AZUL GOLF CLUB

Número de buracos: 9 com saídas diferentes
na 2ª volta
Distância do Campo: Cavalheiros - 6611 jardas
Damas - 6070 jardas
Par do Campo: 72
Arquiteto: Emílio Serra
Inauguração: 1978
Visitantes admitidos: Sim
Caddies disponíveis: Sim
Restaurante: Sim
Outras opções de lazer:
Hotéis recomendados:
Endereço do Campo: Rodovia Raposo Tavares,
Km 113 - Araçoiaba da Serra - SP

BURACO	JARDAS	PAR
1	365	4
2	402	4
3	492	5
4	164	3
5	382	4
6	549	5
7	389	4
8	170	3
9	384	4
	3297	36
10	375	4
11	394	4
12	514	5
13	180	3
14	408	4
15	522	5
16	400	4
17	154	3
18	367	4
	3314	36
TOTAL	6611	72

GUARUJÁ GOLF CLUB

BURACO	JARDAS	PAR
1	476	5
2	134	3
3	415	4
4	202	3
5	322	4
6	500	5
7	321	4
8	320	4
9	424	4
	3114	36
10	380	4
11	134	3
12	400	4
13	202	3
14	300	4
15	476	5
16	321	4
17	304	4
18	472	5
	2889	36
TOTAL	6103	72

Número de buracos: 9 saídas, diferentes
na 2ª volta
Distância do Campo: Cavalheiros - 6101 jardas
Damas - 5326 jardas
Par do Campo: 72
Arquiteto: Duarte Nuno Sottomayor
Inauguração: 1964
Visitantes admitidos: Sim
Caddies disponíveis: Sim
Restaurante: Não
Outras opções de lazer: Tênis
Hotéis recomendados: Jequitimar,
Casa Grande Hotel
Endereço do Campo: Av. das Américas, 545
Guarujá - São Paulo

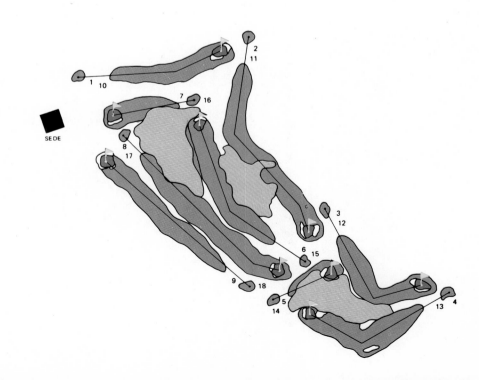

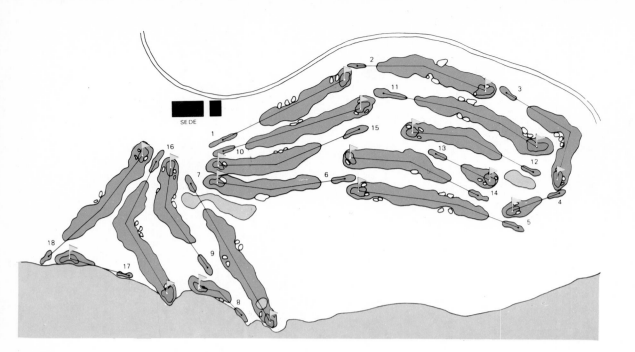

CLUB DE GOLF DE BRASÍLIA

Número de buracos: 18
Distância do Campo: 6659 jardas
Par do Campo: 72
Arquiteto: Robert Trent Jones
Inauguração: 1964
Visitantes admitidos: Sim
Caddies disponíveis: Sim
Restaurante: Sim
Outras opções de lazer: Piscina
Hotéis recomendados: Hotel Eron Brasília,
Hotel Nacional
Endereço do Campo: Setor de Clube Esportivo
Sul - Brasília - DF

BURACO	JARDAS	PAR
1	406	4
2	391	4
3	368	4
4	166	3
5	525	5
6	411	4
7	473	5
8	205	3
9	358	4
	3303	36
10	407	4
11	493	5
12	403	4
13	187	3
14	352	4
15	419	4
16	476	5
17	207	3
18	412	4
	3356	36
TOTAL	6659	72

CLUB CURITIBANO

BURACO	JARDAS	PAR
1	286	4
2	505	5
3	420	4
4	150	3
5	410	4
6	154	3
7	521	5
8	498	5
9	392	4
	3336	37
10	331	4
11	323	4
12	333	4
13	393	4
14	183	3
15	430	4
16	356	4
17	167	3
18	399	4
	2915	34
TOTAL	6251	72

Número de Buracos: 18
Distância do Campo: Cavalheiros - 6251 jardas
Damas - 5402 jardas
Par do Campo: 71
Construtor: Luis Dedini - Federico German
Inauguração: 1984
Visitantes admitidos: Sim
Caddies disponíveis: Sim
Restaurante: Sim
Outras opções de lazer: Tênis, piscina
Hotéis recomendados: Iguassú Campestre,
Parque Motor Hotel
Endereço do Campo: Av. Pres. Getúlio Vargas,
2857 - Curitiba - Paraná

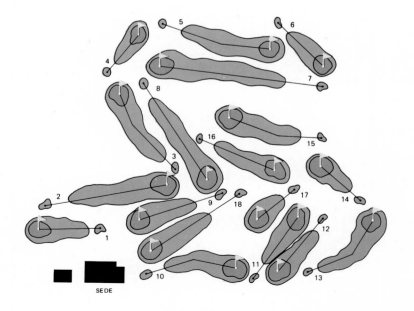

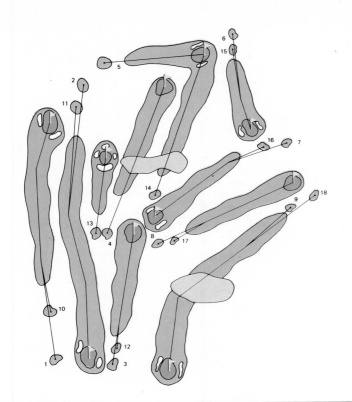

GRACIOSA GOLF CLUB

Número de buracos: 11 com saídas diferentes na 2ª volta
Distância do Campo: 6075 jardas
Par do Campo: 70
Inauguração: 1926
Visitantes admitidos: Sim
Caddies disponíveis: Sim
Restaurante: Sim
Outras opções de lazer: Tênis, piscina
Hotéis recomendados: Slavieiro Palace, Iguassu Campestre, Araucária Flat
Endereço do Campo: Av. Munhóz da Rocha, 1646 - Curitiba - Paraná

BURACO	JARDAS	PAR
1	500	5
2	530	5
3	210	3
4	290	4
5	155	3
6	185	3
7	340	4
8	350	4
9	445	4
	3005	35
10	440	4
11	520	5
12	205	3
13	140	3
14	410	4
15	185	3
16	340	4
17	330	4
18	500	5
	3070	35
TOTAL	6075	70

PORTO ALEGRE COUNTRY CLUB

BURACO	JARDAS	PAR
1	392	4
2	324	4
3	197	3
4	164	3
5	508	5
6	345	4
7	383	4
8	360	4
9	307	4
	2980	35
10	430	4
11	478	5
12	133	3
13	415	4
14	380	4
15	284	4
16	185	3
17	419	4
18	325	4
	3049	35
TOTAL	6029	70

Número de buracos: 18
Distância do Campo: Cavalheiros - 6029 jardas
Damas - 5403 jardas
Par do Campo: 70
Arquiteto: Angel Corona, Pablo Miguel Emílio Serra e Fortunato Miguel
Inauguração: 1930
Visitantes admitidos: Sim
Caddies disponíveis: Sim
Restaurante: Sim
Outras opções de lazer: Tênis, piscina
Hotéis recomendados: City Hotel
Plaza
Plaza São Rafael
Endereço do Campo: Rua Líbero Badaró, 1524 - Porto Alegre - RS

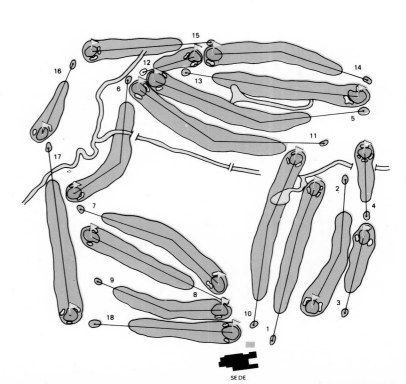

SE DE

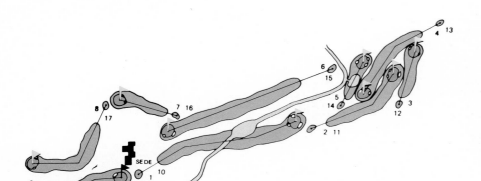

COUNTRY CLUB CIDADE DO RIO GRANDE

Número de buracos: 9 com saídas diferentes na 2ª volta
Distância do Campo: 5265 jardas
Par do Campo: 70
Construtor: Luis A. Dias e Jessiel Magalhães
Inauguração: 1960
Visitantes admitidos: Sim
Caddies disponíveis: Sim
Restaurante: Sim
Outras opções de lazer: Tênis, piscina, futebol, volley, bicicross
Hotéis recomendados: Charrua, Europa, Marisol, Praia do Cassino
Endereço do Campo: Rodova Rio Grande Cassino, Lm 12

BURACO	JARDAS	PAR
1	418	5
2	296	4
3	159	3
4	305	4
5	122	3
6	513	5
7	147	3
8	348	4
9	330	4
	2638	35
10	476	5
11	300	4
12	159	3
13	305	4
14	171	3
15	441	5
16	147	3
17	330	4
18	298	4
	2627	37
TOTAL	5265	70

CLUB CAMPESTRE DE LIVRAMENTO

BURACO	JARDAS	PAR
1	193	3
2	335	4
3	485	5
4	421	4
5	366	4
6	140	3
7	422	5
8	364	4
9	395	4
	3121	36
10	217	3
11	338	4
12	485	5
13	396	4
14	366	4
15	140	3
16	353	4
17	349	4
18	329	4
	2973	35
TOTAL	6094	71

Número de buracos: 9, com saídas diferentes na 2ª volta
Distância do Campo: Cavalheiros - 6094 jardas
Damas - 5536 jardas
Par do Campo: 71
Construtor: José Maria González
Inauguração: 1918
Visitantes admitidos: Sim
Caddies disponíveis: Sim
Restaurante: Sim
Outras opções de lazer: er: Piscina, tênis, basket-ball, volley, hípica
Hotéis recomendados: Portal Hotel, Jandaia
Endereço do Campo: Bairro Industrial, s/nº

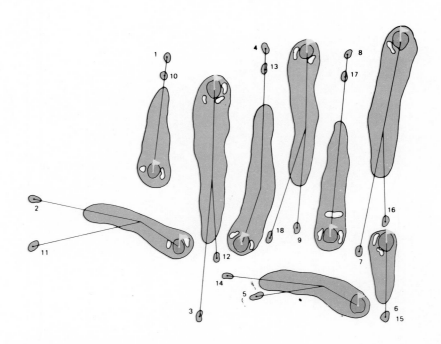

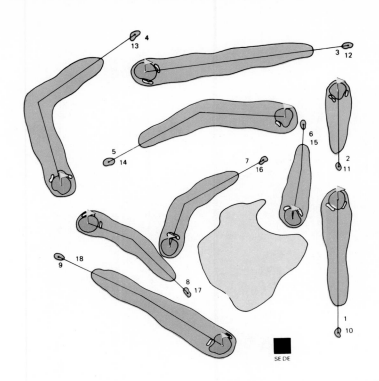

CLUB CAMPESTRE DE PELOTAS

Número de buracos: 9 com saídas diferentes
na 2ª volta
Distância do Campo: 6204 jardas
Par do Campo: 72
Construtor: Pablo Miguel
Inauguração: 1945
Visitantes admitidos: Sim
Caddies disponíveis: Sim
Restaurante: Sim
Outras opções de lazer: Tênis, piscina
Hotéis recomendados: Hotel Manta
Endereço do Campo: Município do Capão Leão -
Rio Grande do Sul

BURACO	JARDAS	PAR
1	357	4
2	197	3
3	497	5
4	375	4
5	520	5
6	160	3
7	309	4
8	308	4
9	398	4
	3121	36
10	369	4
11	197	3
12	497	5
13	375	4
14	520	5
15	160	3
16	309	4
17	308	4
18	348	4
	3083	36
TOTAL	6204	72

ROSÁRIO GOLF CLUB

BURACOS	JARDAS	PAR
1	367	4
2	447	4
3	168	3
4	359	4
5	162	3
6	302	4
7	365	4
8	327	4
9	303	4
	2800	34
10	367	4
11	447	4
12	168	3
13	359	4
14	162	3
15	302	4
16	365	4
17	327	4
18	303	4
	2800	34
TOTAL	5600	68

Número de buracos: 9
Distância do Campo: 5600 jardas
Par do Campo: 68
Inauguração: 1947
Visitantes admitidos: Sim
Caddies disponíveis: Sim
Restaurante: Sim
Outras opções de lazer: Piscinas e tênis
Hotéis recomendados:
Endereço do Campo: Rosário do Sul - RS

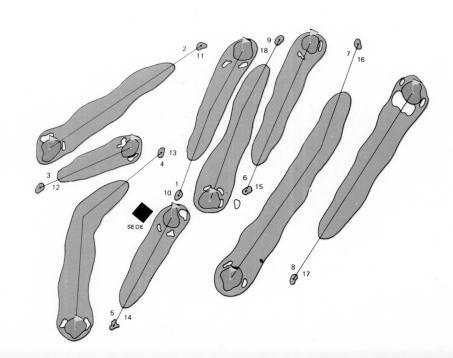

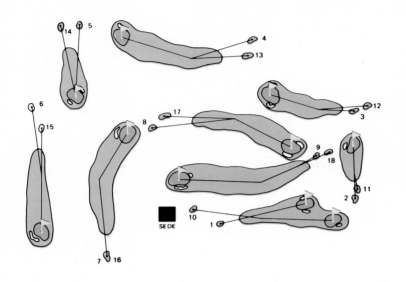

GRAMADO GOLF CLUB

Número de Buracos: 9, com saídas diferentes na 2ª volta
Distância do Campo: 5910 jardas
Par do Campo: 70
Arquiteto: Alberto Serra
Inauguração: 1971
Visitantes admitidos: Sim
Caddies disponíveis: Sim
Restaurante: Sim
Outras opções de lazer:
Hotéis recomendados: Serra Azul, Serrano, Hortências, Lage de Pedra e Vila Suzana, em Canela.
Endereço do Campo: Mato Queimado, S/N - Gramdo - RS - Tel.: (0542) 86-1381

BURACO	JARDAS	PAR
1	339	4
2	171	3
3	323	4
4	400	4
5	139	3
6	498	5
7	333	4
8	408	4
9	340	4
	2951	35
10	474	5
11	160	3
12	368	4
13	394	4
14	136	3
15	379	4
16	333	4
17	359	4
18	356	4
	2959	35
TOTAL	5910	70

MORRO DO CHAPÉU GOLF CLUB

BURACO	JARDAS	PAR
1	289	4
2	260	4
3	370	4
4	206	3
5	342	4
6	183	3
7	173	3
8	450	5
9	350	4
	2629	34
10	285	4
11	254	4
12	370	4
13	187	3
14	337	4
15	183	3
16	160	3
17	445	5
18	351	4
	2572	34
TOTAL	5201	68

Número de buracos: 9 com saídas diferentes na 2ª volta
Distância do Campo: Cavalheiros - 5201 jardas
Damas - 4370 jardas
Par do Campo: 68
Construtor: Yukichi Suguihara
Inauguração: 1959
Visitantes admitidos: Sim
Caddies disponíveis: Sim
Restaurante: Sim
Outras opções de lazer: Piscina
Hotel Recomendado : Othon Hotel Del Rey
Endereço do Campo: BR 040, Km 550 - Belo Horizonte - Minas Gerais

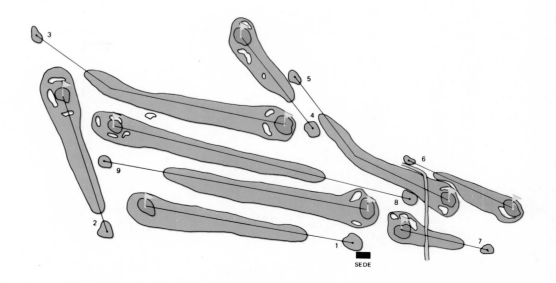

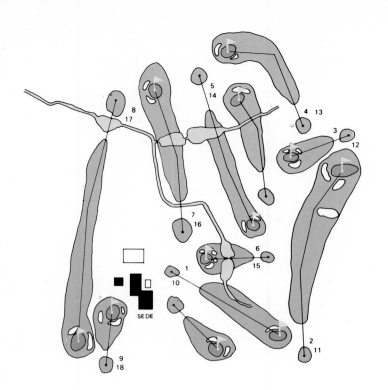

CAJAZEIRA GOLF COUNTRY CLUB

Número de Buracos: 10, com saídas
diferentes na 2ª volta
Distância do Campo: Cavalheiros - 5525 jardas
                    Damas - 4775 jardas

Par do Campo: 69
Inauguração: 1950
Visitantes admitidos: Sim
Caddies disponíveis: Sim
Restaurante: Sim
Outras opções de lazer: Tênis, piscina, squash
Hotéis recomendados: Meridien, Quatro Rodas
Quatro Rodas
Endereço do Campo: Av. Genaro de Carvalho,
S/N - Salvador - Bahia

BURACO	JARDAS	PAR
1	315	4
2	515	5
3	140	3
4	285	4
5	385	4
6	165	3
7	330	4
8	500	5
9	155	3
	2790	35
10	175	3
11	535	5
12	140	3
13	315	4
14	335	4
15	165	3
16	400	4
17	515	5
18	155	3
	2735	34
TOTAL	5525	69

CAXANGÁ GOLF COUNTRY CLUB

Número de buracos: 9, com saídas diferentes
na 2ª volta
Distância do Campo: 6017 jardas
Par do Campo: 70
Inauguração: 1933
Visitantes admitidos: Sim
Caddies disponíveis: Sim
Restaurante: Sim
Outras opções de lazer: Piscina,
hipismo, tênis, tiro
Hotéis recomendados:
Endereço do Campo: Av. Caxangá, 5362
Recife - Pernambuco

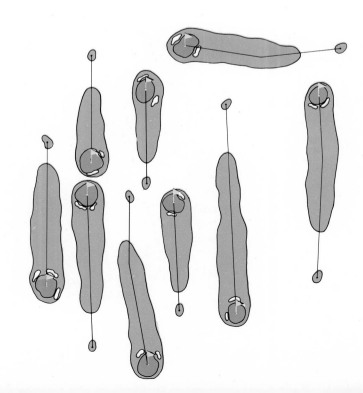

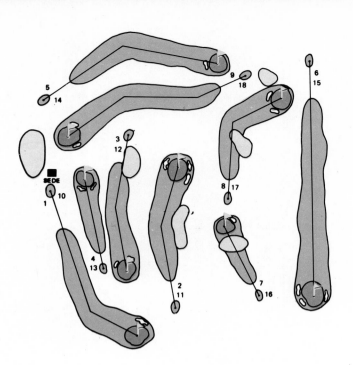

PONTA GROSSA GOLF CLUB

Número de Buracos: 9 com saídas duplas
Distância do Campo: Cavalheiros: 6522
　　　　　　　　　　　Damas: 5568

Par do Campo: 36
Construtor: Kenji Oda
Inauguração: 1982
Visitantes admitidos: Sim
Caddies disponíveis: Sim
Hotel recomendado: Villa Velha Hotel
Endereço do Campo: Estrada das Palmeiras
Km 14 - Ponta Grossa - PR

PONTA GROSSA GOLF CLUB		
Buraco	Distância	Par
1	317	4
2	322	4
3	322	4
4	149	3
5	399	4
6	409	5
7	143	3
8	301	4
9	422	5
	2784	36
10	317	4
11	322	4
12	322	4
13	149	3
14	399	4
15	409	5
16	143	3
17	301	4
18	422	5
	2784	36
TOTAL	5568	72

Índice Fotográfico
Photograph Index

Fotos de:
Photos by:

Página
Page

Edição e Produção: *Beatriz Borges*
Texto e Coordenação: *Mário González*
Lay-Out e Diagramação: *Carlos F. Weyne e Juarez Gatinho*
Mapas e Percursos: *Regina Sá*
Arte Final: *Gilberto Franco Meirelles*
Fotolitos: *Grafcolor*
Fotocomposição, Impressão e Acabamento: *Grafica Riex Editora S.A.*
Tiragem: *4.000 Exemplares*
Papel: *Couché 150 gramas.*